GUIDE DE
LA LITTÉRATURE
QUÉBÉCOISE

Marcel Fortin – Yvan Lamonde – François Ricard

GUIDE DE
LA LITTÉRATURE
QUÉBÉCOISE

Boréal

Maquette de la couverture: Gianni Caccia
Illustration: Daniel Sylvestre

© Les Éditions du Boréal
Dépôt légal: 3ᵉ trimestre 1988
Bibliothèque nationale du Québec

Données de catalogage avant publication (Canada)

Fortin, Marcel, 1946-
Guide de la littérature québécoise
Comprend un index.
ISBN 2-89052-248-2
1. Littérature canadienne-française – Bibliographie 2. Littérature cana-
dienne-française – Histoire et critique. I. Lamonde, Yvan, 1944- .
II. Ricard, François, 1947- . III. Titre.
    Z1377.F8F67 1988   016.84'08'09714   C88-096424-3

PRÉSENTATION

La littérature québécoise a connu, au cours des trente dernières années, un développement remarquable. La diversité des
auteurs, le nombre, la qualité et l'originalité des œuvres, ainsi
que leur rayonnement auprès des lecteurs d'ici et d'ailleurs,
n'ont cessé de s'accroître. Conséquence normale de ce mouvement, l'enseignement, la recherche et les travaux critiques
prenant pour objet la littérature québécoise – passée ou contemporaine – se sont à leur tour considérablement étendus et
diversifiés, au point de former, au sein des études littéraires,
un domaine relativement abondant et bien constitué. Le présent ouvrage voudrait servir d'introduction à ce domaine, tel
qu'il est devenu aujourd'hui, et aider à s'y retrouver de la
manière la plus efficace et la plus utile possible.

Ce ne sont donc pas directement les œuvres et les écrivains
de la littérature québécoise qui font l'objet de ce guide, mais
bien les *études* de tous genres dont cette littérature, ses œuvres et ses écrivains sont eux-mêmes l'objet. Il s'adresse aux
étudiants, aux enseignants, aux chercheurs, aux bibliothécaires et à toutes les personnes qui s'intéressent ou se consacrent
à l'étude de la littérature québécoise, ici ou à l'étranger. Son
premier objectif est de les aider à amorcer, situer, orienter ou
enrichir leurs propres travaux, en leur fournissant un ensemble ordonné de renseignements sur la documentation et
les ressources existantes. Il vise aussi à dresser un tableau de
l'état actuel de la recherche, où soient reflétés aussi fidèle-
ment que possible ses points forts et ses secteurs moins bien
développés. Aussi prétend-il offrir, à la différence de la plupart des bibliographies et des ouvrages de référence déjà
publiés sur le même sujet, une vue à la fois systématique et
économique du champ des études en littérature québécoise.

Systématique, ce guide vise à l'être non seulement par son
exhaustivité, mais aussi par la clarté et la simplicité de son

organisation. Les deux premiers chapitres décrivent ce qu'on pourrait appeler les instruments de base, c'est-à-dire les études ayant pour objet soit l'ensemble de la littérature québécoise, soit des problématiques concernant à la fois plusieurs genres littéraires. Ceux-ci constituent l'armature du troisième chapitre, qui est aussi le plus considérable, où les études sont regroupées selon les genres auxquels elles se rapportent, ces genres correspondant à ceux qui sont le plus généralement reconnus par la critique. On aurait pu, certes, adopter d'autres formes de classement – par exemple en fonction des problématiques ou des méthodes critiques – mais c'est cette division par genres qui nous a paru à la fois la plus pratique et la plus conforme au fonctionnement actuel de la discipline.

Une fois décrites les études qui portent sur le corpus lui-même, il nous a semblé intéressant, dans le chapitre IV, de nous tourner vers celles, de plus en plus nombreuses, qui s'intéressent aux «réseaux» qui se tissent soit au sein même de ce corpus, soit entre ce corpus et d'autres ensembles: Canada anglais, Amérique, francophonie.

Quoique les trois derniers chapitres n'aient plus pour objet, à strictement parler, les études littéraires elles-mêmes, ils n'en rassemblent pas moins des données qui nous paraissent également utiles, sinon essentielles, pour quiconque travaille dans cette discipline. Le chapitre V porte sur ce qu'on pourrait appeler l'environnement immédiat, ou mieux, les supports premiers de l'activité littéraire, c'est-à-dire l'imprimé et la langue, tandis que le chapitre VI fournit des renseignements sur le fonctionnement même de la recherche en littérature québécoise. Enfin, nous avons cru nécessaire d'ajouter, dans le chapitre VII, une liste d'ouvrages généraux sur l'histoire et la société québécoises, en privilégiant les aspects dont la relation avec le champ littéraire nous semblait la moins lointaine.

Nous avons dit plus haut que l'une de nos préoccupations était l'exhaustivité. Précisons immédiatement que cette exhaustivité se veut cependant aussi *économique* que possible. Nous avons prétendu y atteindre, en effet, non pas en dénombrant tous les travaux, mais bien en donnant au lecteur les *moyens* d'effectuer lui-même un tel dénombrement. Cela signifie que nous n'avons retenu, parmi toutes les études qui existent, que celles qui ont une portée et un contenu avant tout *synthétiques*. Ainsi, toutes les monographies d'auteurs ou les analyses d'œuvres singulières ont été écartées, puisqu'on peut facilement les retrouver à partir des bibliographies, anthologies, études d'ensemble et autres ouvrages de synthèse auxquels nous nous en tenons ici. De la même façon, certains ouvrages de synthèse un peu anciens ne sont pas non plus mentionnés, dès qu'ils sont remplacés par un ouvrage plus récent, qui y renvoie généralement de façon explicite. C'est aussi par mesure d'économie que nous avons décidé de ne pas tenir compte des thèses, mémoires et rapports de recherche non publiés – dont la plupart peuvent d'ailleurs être retracés à partir des études que nous citons. De même, nous avons tâché de ne mentionner que les études disponibles sous forme de volumes, et n'avons retenu qu'exceptionnellement les articles de revues.

En somme, ce n'est pas un répertoire total que nous présentons, mais bien un guide, que nous nous plaisons à dire «de première ligne», c'est-à-dire *à partir duquel* l'ensemble du champ, ou d'un secteur particulier de ce champ, peut être exploré. Ainsi, un étudiant ou un chercheur qui s'intéresserait à un auteur, à une œuvre ou à une question spécifique trouvera ici la liste des instruments lui permettant de se faire une idée de l'état de la recherche sur cette question et de constituer lui-même la bibliographie dont il a besoin.

Cet ouvrage ne se veut pas non plus un palmarès. Certes, nous avons cherché à ne mentionner que des études offrant qualité et fiabilité, mais notre premier critère a été la nature *synthétique* des travaux, ainsi que leur utilité, leur «fécondité» pratique pour le chercheur.

Les titres retenus sont présentés, dans les diverses sections du guide, sous deux ou trois rubriques: d'abord les bibliographies, puis les études d'ensemble, et enfin, le cas échéant, les anthologies. À l'intérieur de chaque rubrique, les titres sont classés dans l'ordre chronologique, sauf indication contraire. À la fin de plusieurs sections ou rubriques, une note renvoie à d'autres entrées qui, quoique classées ailleurs dans le *Guide*, concernent au moins partiellement le sujet de cette section ou de cette rubrique. Quant aux entrées elles-mêmes, qui ont toutes été rédigées pièce en main, elles donnent l'adresse bibliographique complète, suivie d'une brève notice descriptive. Dans les cas où existent plusieurs éditions d'un même ouvrage, c'est la plus récente qui est signalée, mais la date de la première édition est également indiquée.

On nous permettra, en terminant, de remercier les personnes et les institutions qui, de près ou de loin, nous ont apporté leur concours. Issu du Programme d'études canadiennes-françaises de l'Université McGill, ce projet a été soutenu financièrement par le Département de langue et littérature françaises et par le Comité de la recherche de la même université. Mary Mason et Lonnie Weather de la Bibliothèque McLennan, ainsi que Henri-Bernard Boivin, Francine Neilson et Louise Tessier de la Bibliothèque nationale du Québec, nous ont généreusement prodigué aide et conseils. Lise Faubert a dactylographié le manuscrit. Nos collègues Jacques Allard (Université du Québec à Montréal), Jean-Pierre Duquette (Université McGill), Jane Everett (Université McGill), Madeleine Frédéric (Université libre de Bruxelles), Lise Gauvin (Université de Montréal), Monique LaRue (Cegep Édouard-Montpetit), Laurent Mailhot (Université de Montréal) et Lucie Robert (Université du Québec à Montréal), de même que Gilles Gallichan, Jean-René Lassonde et Normand Cormier (Bibliothèque nationale du Québec), ont aimablement accepté de lire l'ouvrage avant la publication et de nous faire profiter de leurs lumières; toute notre gratitude leur est acquise.

M. Fortin, Y. Lamonde, F. Ricard

Université McGill
Août 1988

I
DICTIONNAIRES
D'ŒUVRES ET D'AUTEURS

1. DICTIONNAIRE D'ŒUVRES

I.1.1. *Dictionnaire des œuvres littéraires du Québec.* Sous la direction de Maurice Lemire. Montréal, Fides. Illustré.

Tome I. *Des origines à 1900.* 2ᵉ édition revue, corrigée et mise à jour, 1980, lxvi-927 p.

Tome II. *1900-1939.* 1980, xcvi-1363 p.

Tome III. *1940-1959.* 1982, xciii-1252 p.

Tome IV. *1960-1969.* 1984, lxiii-1123 p.

Tome V. *1970-1975.* 1987, lxxxvii-1133 p.

Les œuvres sont réparties dans les différents tomes selon la date de leur première édition. Contenu de chaque tome: chronologie comparative des événements littéraires et culturels (décrite ci-dessous dans une note de la sous-section II.5), introduction à la période, articles classés par ordre alphabétique des titres, bibliographie (œuvres littéraires présentées dans l'ordre alphabétique des auteurs, instruments de travail et ouvrages de référence, études), index onomastique. Format des articles: notice biographique sur l'auteur (à sa première œuvre publiée), description de l'œuvre et souvent de sa réception, notice bibliographique (comprenant les éditions successives et une liste étendue de références critiques).

2. DICTIONNAIRES D'AUTEURS ET DE PSEUDONYMES

I.2.1. HAMEL, Réginald, John HARE et Paul WYCZYN-SKI. *Dictionnaire pratique des auteurs québécois.* Montréal, Fides, 1976, xxv-725 p. Illustré.

Format des articles: notice biographique (où s'articulent faits biographiques et littéraires, ainsi que commentaires critiques), bibliographie sommaire (œuvres et études).

I.2.2. Union des écrivains québécois. *Dictionnaire des écrivains québécois contemporains*. Recherche et rédaction par Yves Légaré. Préface de Michel Beaulieu. Montréal, Québec/Amérique, 1983, 399 p. Illustré.

Regroupe les membres de l'UNÉQ et les écrivains (nés au Québec, y vivant ou y ayant vécu assez longtemps) qui, depuis 1970 (jusqu'au 1ᵉʳ mai 1982), ont publié au moins deux œuvres littéraires. Bibliographie sommaire des œuvres.

I.2.3. *Dictionnaire biographique du Canada*. Québec, Presses de l'Université Laval.

Tome I. *De l'an 1000 à 1700*. 1966, xxv-774 p.

Tome II. *1701-1740*. 1969, xli-791 p.

Tome III. *1741-1770*. 1974, xlv-842 p.

Tome IV. *1771-1800*. 1980, lxiii-980 p.

Tome V. *1801-1820*. 1983, xxx-1136 p.

Tome VI. *1821-1835*. 1977, xxx-1047 p.

Tome VII. *1836-1850*. (à paraître)

Tome VIII. *1851-1860*. 1985, xlv-1243 p.

Tome IX. *1861-1870*. 1977, xiii-1057 p.

Tome X. *1871-1880*. 1972, xxxii-894 p.

Tome XI. *1881-1890*. 1982, xx-1192 p.

Tome XII. *1891-1900*. (à paraître)

Le choix des personnages inclus, qui le sont selon l'année de leur décès, se veut socialement représentatif. Aussi les écrivains trouvent-ils place dans le *DBC*. Contenu de chaque tome: liste des personnages inclus, articles biographiques par ordre alphabétique, importante bibliographie des sources et des études sur la période couverte, classification socio-professionnelle des personnages inclus, répartition géographique, index onomastique. Chaque article est suivi d'une liste des sources et des études consacrées au personnage. Un *Guide de consultation* (1981, vii-258 p.) couvre les tomes I à IV. Un index cumulatif des douze tomes devrait être produit. [L'édition en langue anglaise, *Dictionary of Canadian Biography*, est publiée depuis 1966 par University of Toronto Press.]

I.2.4. *The Oxford Companion to Canadian Literature.* Sous la direction de William Toye. Toronto, Oxford et New York, Oxford University Press, 1983, xviii-843 p.

Nombreux renvois. Présentation alphabétique d'auteurs, titres, genres et certains sujets, comme: «Novels in French», «Criticism in French», «Joual», «New France, Writing in», «Québec, Writing in English in». Met l'accent sur la littérature des quarante dernières années, sans négliger la production antérieure.

I.2.5. VINET, Bernard. *Pseudonymes québécois.* Québec, Garneau, 1974, xiv-363 p.

Lorsqu'on a pu l'identifier, le pseudonyme est suivi du nom véritable. Souvent, l'identification (dont la source est précisée) est accompagnée du titre de quelques œuvres écrites sous le pseudonyme ou du nom des périodiques auxquels l'auteur a collaboré. [Révision et mise à jour de *Pseudonymes canadiens* publié en 1935 par Francis-J. Audet et Gérard Malchelosse.]

I.2.6. AMTMANN, Bernard. *Contributions to a Dictionary of Canadian Pseudonyms and Anonymous Works Relating to Canada/Contributions à un dictionnaire des pseudonymes canadiens et des ouvrages anonymes relatifs au Canada.* Montréal, Bernard Amtmann inc., 1973, 144 p.

Il ne s'agit pas d'un dictionnaire en bonne et due forme. Lorsqu'un pseudonyme est connu, on se contente de mentionner le nom de la personne qui l'a choisi. Dans le cas contraire, on signale le titre des ouvrages produits sous le pseudonyme traité. Quant aux textes anonymes, leurs titres sont insérés dans la liste des pseudonymes, et leur auteur est identifié le cas échéant.

II
OUVRAGES D'ENSEMBLE

1. BIBLIOGRAPHIES

A. Bibliographies générales
(dans l'ordre des périodes couvertes)

II.1.A.1. HAYNE, David M. «État actuel des études bibliographiques de la littérature canadienne-française (avant 1945)». *Histoire littéraire du Québec*, 1 (1979): 14-25.

Dresse la liste des principales bibliographies dans le domaine. Se divise en bibliographies générales (bibliographies des bibliographies; catalogues de collections de Canadiana; bibliographies rétrospectives; répertoires de thèses; bibliographies courantes et bilans; inventaires de périodiques; index de périodiques) et en bibliographies de la littérature canadienne-française (généralités; bibliographies de la poésie; du roman; du théâtre; des genres secondaires; de périodes ou de mouvements littéraires; d'auteurs).

II.1.A.2. HAMEL, Réginald. *Cahiers bibliographiques des lettres québécoises.* Montréal, Centre de documentation des lettres canadiennes-françaises, Université de Montréal, 1966-1969, 4 vol.

Précédé d'une liste des périodiques dépouillés, chaque cahier comprend: anthologies, bibliographies, dictionnaires; généralités; auteurs et leurs critiques; auteurs québécois sur la littérature étrangère. Le dernier cahier d'une année (sauf celui de 1967) renferme un index des sujets et auteurs. Une première liste du même auteur avait paru, sous le titre «Bibliographie des lettres canadiennes-françaises 1965», dans un numéro spécial de la revue *Études françaises* (juin 1966): 1-111. Elle comprenait deux sections: bibliographies et catalogues, généralités, ouvrages d'auteurs canadiens sur la littérature française; auteurs et leurs critiques.

II.1.A.3. CANTIN, Pierre, Normand HARRINGTON et Jean-Paul HUDON. *Bibliographie de la critique de la littérature québécoise dans les revues des XIXe et XXe*

siècles. Ottawa, Centre de recherche en civilisation canadienne-française, 1979, 5 vol., x-1254 p.

Tome I. *Études.* P. 1-155.

Tome II. *Auteurs: A-C.* P. 156-360.

Tome III. *Auteurs: D-G.* P. 361-603.

Tome IV. *Auteurs: H-M.* P. 604-849.

Tome V. *Auteurs: N-Z.* P. 850-1254.

Couvre les années 1793-1974. Le premier tome comprend
deux parties: études générales, particulières (périodes, mouvements, prix), théoriques, linguistiques, diverses (culture,
enseignement et diffusion de la littérature, jeunesse et littérature); genres (roman, poésie, théâtre, récit bref, essai,
presse, littérature orale). Les quatre volumes suivants recensent les études sur les auteurs, classés par ordre alphabétique.
À l'intérieur de la section consacrée à chacun d'eux, les études
sont classées selon l'ordre chronologique de leur parution.
Quatre listes (des revues complètement ou partiellement dépouillées, des revues non retenues, des renvois de noms
d'auteurs), les sources bibliographiques ayant permis l'établissement de la liste des périodiques, ainsi que l'index des
auteurs des notices bibliographiques complètent le cinquième tome. [Pour les années ultérieures à 1974, le dépouillement est publié par tranches dans la *Revue d'histoire littéraire
du Québec et du Canada français* (ci-dessous n° II.1.A.5).

II.1.A.4. *Livres et auteurs canadiens* (1961-1968), devenu
Livres et auteurs québécois (1969-1982).

Panorama critique de la production littéraire de l'année, selon
les différents genres. Chaque parution contient une bibliographie de l'année et un index des auteurs. Les numéros de
1965 et 1968 sont suivis d'un index cumulatif des noms cités
ou étudiés. [Voir: BOURASSA, Yolande et Carole MER-
CIER. *Index alphabétique des titres parus dans «Livres et
auteurs québécois» 1970-1980.* Montréal, Commission des
bibliothécaires de l'Association des institutions d'enseignement secondaire, août 1982, 89 p.]

II.1.A.5. *Revue d'histoire littéraire du Québec et du Canada français.* Université d'Ottawa.

La majorité des numéros contient une «Bibliographie de la critique», qui traite à la fois des livres et des revues. La partie portant sur les livres se subdivise ainsi. bibliographies, répertoires; anthologies, histoires, guides; essais, monographies; divers. La seconde partie, qui a trait aux revues, prolonge la *Bibliographie de la critique de la littérature québécoise dans les revues des XIXe et XXe siècles* de P. Cantin, N. Harrington et J.-P. Hudon (voir ci-dessus, n° II.1.A.3). Elle comprend cinq sections: études générales sur la littérature québécoise et canadienne-française; études se rapportant au roman, à la poésie, au théâtre, au récit bref, à l'essai, au journalisme, à la littérature orale; études concernant un auteur; index (selon l'ordre alphabétique des auteurs) des articles répertoriés; index (selon l'ordre alphabétique) des titres des revues dépouillées.

Numéros	Années de couverture	
	Livres	Revues
1	1978	1974-1975
2	1979	1976-1977
3	1980	1978
4	1981	1979
5	—	1980
6	1982	1981
8	—	1982
9	1983-1984	—
10	—	1983
13	1985	—
14	—	1984

B. Bibliographies spécialisées

II.1.B.1. HAMEL, Réginald. *Bibliographie sommaire sur l'histoire de l'écriture féminine au Canada (1769-1961)*. Montréal, Université de Montréal, 1974, 134 p.

Se divise en sept parties: famille; femme (écritures diverses); fatalité (et les femmes); roman pour adultes; roman pour adolescents; poésie; généralités. Aucune place n'est accordée au théâtre, qui, selon l'auteur, ne fut pas un genre largement pratiqué par les femmes avant 1961.

II.1.B.2. HOULE, Ghislaine. «La femme et la littérature», «La femme-biographies», «La femme-revues». *La femme et la société québécoise*. Montréal, Bibliothèque nationale du Québec (Collection «Bibliographies québécoises»), 1975, p. 137-172.

La section «littérature» se subdivise ainsi: premiers écrits (période de la colonisation); contes, romans et essais jusqu'en 1930; poésie de 1900 à 1930; romans et théâtre de 1930 à 1945; poésie de 1930 à 1945; contes, nouvelles et romans de 1945 à nos jours; poésie de 1945 à nos jours; essais et théâtre de 1945 à nos jours. La section «biographies» se répartit en biographies individuelles et collectives, celles-ci étant regroupées ainsi: livres et brochures, articles de périodiques. Quant à la section «revues», elle consiste en une liste des revues féminines québécoises. Comprend deux index: auteurs et titres.

II.1.B.3. HOULE, Ghislaine et Jacques LAFONTAINE. *Écrivains québécois de nouvelle culture*. Montréal, Centre bibliographique de la Bibliothèque nationale du Québec (Collection «Bibliographies québécoises»), 1975, 1-137 p.

Bibliographie de dix auteurs: Paul Chamberland, Leonard Cohen, Raoul Duguay, Lucien Francœur, Louis Geoffroy, Georges Khal, Pierre Léger, Claude Péloquin, Patrick Straram, Denis Vanier. Deux index: auteurs et titres.

II.1.B.4. HOULD, Claudette, avec la collaboration de Sylvie Laramée. *Répertoire des livres d'artistes au Québec 1900-1980.* Montréal, Bibliothèque nationale du Québec, 1982, 240 p. Illustré.

Définit le livre d'artiste par des critères matériels (édition limitée, papier de qualité, exemplaires numérotés et signés par l'auteur et par l'artiste), mais surtout par une exigence bien précise quant à l'illustration d'un texte par des estampes originales ou estampes d'interprétation, l'originalité d'une estampe résidant dans le degré de participation de l'artiste à la conception et à la réalisation de l'élément d'impression. Contenu de l'ouvrage: introduction; bibliographie (284 entrées par ordre alphabétique d'auteurs); six index (auteurs, artistes, titres, relieurs, éditeurs, à compte d'auteur ou d'artiste).

II.1.B.5. MELANÇON, Benoît. «Cinéma et littérature au Québec». *Revue d'histoire littéraire du Québec et du Canada français*, 11 (hiver-printemps 1986): 167-221.

Ne retient ni les films tournés pour la télévision ni les vidéos. Comprend huit parties: bibliographie générale; cinéma québécois et littérature québécoise; cinéma étranger et littérature québécoise; cinéma québécois et littérature étrangère; films sur la littérature, les genres, les créateurs et créatrices, les événements littéraires, etc.; écrivains scénaristes, réalisateurs; œuvres littéraires tirées de films; index onomastique.

2. HISTOIRES LITTÉRAIRES
(Les titres sont classés selon l'ordre chronologique de leur première édition.)

II.2.1. LAREAU, Edmond. *Histoire de la littérature canadienne.* Montréal, John Lovell, 1874, viii-496 p.

Réunit les noms de tous ceux qui, sur quelque sujet que ce soit, ont écrit. Il s'agirait donc d'une manière de catalogue de la littérature canadienne, qui comporte huit chapitres: littérature, littérature canadienne, poésie, histoire, roman et nouvelle, science, législation, journalisme. Index des noms cités.

II.2.2. ROY, Camille. *Manuel d'histoire de la littérature canadienne de langue française.* Montréal, Librairie Beauchemin, 10ᵉ édition revue et corrigée par l'auteur, 1945, 201 p. Illustré.

Divisé en trois périodes: origines (1608-1860); 1860-1900; 1900 à nos jours. Chacune d'elles se subdivise en genres. Index des noms d'auteurs. [Ce manuel a connu de nombreuses éditions et mises à jour depuis sa première parution en 1918; il est complété par une anthologie, décrite au n° II.6.2. ci-dessous.]

II.2.3. BAILLARGEON, Samuel. *Littérature canadienne-française.* Préface de Lionel Groulx. Montréal et Paris, Fides, 3ᵉ édition revue, 1967, 525 p. Illustré. – 1ʳᵉ édition: 1957.

Destiné aux élèves de l'enseignement secondaire et collégial. Se divise en deux parties: formation du type canadien-français (1600-1850); histoire de la littérature canadienne-française (1850-1960). La seconde partie se subdivise ainsi: naissance des lettres canadiennes; période de maturation (1900-1930); orientations nouvelles (1930-1960). À l'étude des auteurs, d'inspiration biographique, sont adjoints de courts extraits et l'ébauche d'un commentaire. Liste des ouvrages généraux consultés. Index onomastique.

II.2.4. DUHAMEL, Roger. *Manuel de littérature canadienne-française.* Montréal, Renouveau pédagogique, 1967, 161 p.

Comprend quatre parties: premiers balbutiements littéraires; une naissance laborieuse (1840-1900); affirmations décisives (1900-1940); une littérature autonome (1940-1965). Les trois dernières se subdivisent ainsi: poésie, roman, histoire, essai — le théâtre remplaçant l'essai dans la quatrième partie. Une chronologie aligne événements littéraires et historiques.

II.2.5. GRANDPRÉ, Pierre de. *Histoire de la littérature française du Québec*. Montréal, Librairie Beauchemin, 4 tomes. Illustré.

Tome I. *1534-1900*. 1967, 368 p.

Tome II. *1900-1945*. 1968, 390 p.

Tome III. *De 1945 à nos jours*. – *La poésie*. 1969, 407 p.

Tome IV. *Roman, théâtre, histoire, journalisme, essai, critique (de 1945 à nos jours)*. 1969, 428 p.

Dans chaque tome, index des noms, liste des œuvres citées. En appendice au troisième tome, une liste des principaux prix littéraires décernés au Québec depuis 1944. Dans le dernier tome, bibliographie des instruments de travail en littérature canadienne-française.

II.2.6. TOUGAS, Gérard. *La littérature canadienne-française*. Paris, Presses universitaires de France, 5ᵉ édition, 1974, 270 p. – 1ʳᵉ édition: 1969.

Se répartit en six chapitres: les difficiles débuts; l'âge de Garneau (1845-1865); vers la création d'une tradition littéraire (1865-1899); l'époque moderne (1900-1939); l'époque contemporaine; la littérature canadienne dans ses rapports avec la France et sa culture. Index des auteurs et des œuvres. [Jusqu'à la quatrième édition (1967), ce livre s'intitulait *Histoire de la littérature canadienne-française*.]

II.2.7. MAILHOT, Laurent. *La littérature québécoise*. Paris, Presses universitaires de France (Collection «Que sais-je?»), 2ᵉ édition revue, 1975, 128 p. – 1ʳᵉ édition: 1974.

Comprend quatre chapitres: origines; cheminements et reflets (1837-1918); entre la campagne et la ville (1918-1948); de la province au pays (1948-1973). Bibliographie sommaire. Index des écrivains québécois.

NOTE: Sur les histoires littéraires, on se reportera aussi aux entrées suivantes: IV.2.A.1. – IV.4.B.1.

3. OUVRAGES GÉNÉRAUX

II.3.1. MARCOTTE, Gilles. *Une littérature qui se fait.*
Essais critiques sur la littérature canadienne-française.
Montréal, HMH, Nouvelle édition augmentée, 1968,
307 p. – 1re édition: 1962.

Panorama critique et interprétation du roman et de la poésie.
[Réimprimé en 1971.]

II.3.2. *Littérature et société canadiennes-françaises.* Sous la
direction de Fernand Dumont et Jean-Charles Falar-
deau. Québec, Presses de l'Université Laval, 1964,
272 p. – Actes du deuxième colloque de la revue
Recherches sociographiques du Département de sociologie et d'anthropologie de l'Université Laval.

Se divise en cinq parties: préalables (histoire et critique littéraires, statut de l'écrivain et diffusion de la littérature); littérature comme expression de la société; tentatives de dépasse-
ment – quelques thèmes de la littérature récente; conflits et
complémentarité des méthodes; conclusions et perspectives.
Deux bibliographies: l'une de Paul Wyczynski sur la critique
dont nous rendons compte ci-dessous au début de la sous-
section III.7.A; l'autre qui concerne les romans et les recueils
de poèmes cités. Index des auteurs cités.

II.3.3. ÉTHIER-BLAIS, Jean. *Signets.* Montréal, Cercle du
livre de France, 3 vol. parus.

Volume II. 1967, 247 p.

Comporte deux parties: thèmes (la ville, l'hiver, l'histoire, la
langue, l'Académie canadienne-française) et versions, qui
traite de maints écrivains.

Volume III. 1973, 269 p.

Comprend deux parties: «La poésie de l'histoire» et «La
poésie des poètes», celle d'Alain Grandbois, Rina Lasnier,
Robert Choquette, Yves Préfontaine, Gatien Lapointe.

II.3.4. BESSETTE, Gérard. *Une littérature en ébullition.* Montréal, Le Jour, 1968, 317 p.

Traite à la fois de poésie (Anne Hébert, Émile Nelligan) et de roman (Claude-Henri Grignon, Yves Thériault, Gabrielle Roy). Bibliographie (ouvrages étudiés, principaux auteurs cités).

II.3.5. WARWICK, Jack. *L'appel du Nord dans la littérature canadienne-française.* Traduit par Jean Simard. Montréal, Hurtubise HMH (Collection «Constantes»), 1972, 249 p.

Étudie le thème du nord dans les écrits d'Alfred DesRochers, Léo-Paul Desrosiers, Antoine Gérin-Lajoie, Alain Grandbois, Louis-François Laflèche, André Langevin, Roger Lemelin, Gabrielle Roy, Gabriel Sagard, Alexandre-Antoinin Taché, Joseph-Charles Taché, Yves Thériault, Bertrand Vac. Bibliographie. Index. [A d'abord paru en anglais: *The Long Journey.* University of Toronto Press, 1968.]

II.3.6. BROCHU, André. *L'instance critique 1961-1973.* Présentation de François Ricard. Montréal, Leméac, 1974, 376 p.

Contenu de l'ouvrage: «questions», partie qui regroupe des écrits théoriques; «études», sur Gérard Bessette, Laure Conan, Yves Thériault, Gabrielle Roy, Félix-Antoine Savard, Roland Giguère; «aperçus», sur Paul Chamberland, Michel Garneau, Pierre Perrault, Alain Grandbois, Rina Lasnier, Hubert Aquin.

II.3.7. *Langue, littérature, culture au Canada français.* Sous la direction de Robert Vigneault. Ottawa, Université d'Ottawa (Collection «Cahiers du Centre de recherche en civilisation canadienne-française»), 1977, 116 p.

Comprend trois parties: aperçus sur la situation culturelle au Canada français; langue et littérature au Canada français; littérature et société canadiennes-françaises.

II.3.8. «Petit manuel de littérature québécoise». *Études françaises*, XIII, 3-4 (octobre 1977): 191-393.

Porte sur les instruments de travail, la littérature (orale, classique, contemporaine, de la Nouvelle-France) et les genres (poésie, roman, théâtre, essai).

II.3.9. *Culture populaire et littératures au Québec.* Sous la direction de René Bouchard. Saratoga (Californie), Anma Libri (Collection «Stanford French and Italian Studies»), 1980, 310 p.

Comprend deux parties: aspects culturels, dont un article sur le lexique québécois (qui comporte une bibliographie); aperçus littéraires [un siècle de littérature (1840-1940), les genres (poésie 1945-1970, roman, théâtre, récit bref, essai), deux romanciers canadiens-anglais (Mordecai Richler, Hugh MacLennan)]. Guide bibliographique de la littérature québécoise. Index des noms et titres.

II.3.10. «L'institution littéraire québécoise». *Liberté*, XXIII, 2 (mars-avril 1981): 1-129.

Étudie les concepts d'institution et de code, et maintes instances: la langue et son enseignement, les dictionnaires et les anthologies, les revues et les prix littéraires, le professeur-écrivain, la critique, l'écriture féminine, les nuits de la poésie, les tournées. Se termine par une enquête à laquelle une quarantaine d'écrivains ont répondu.

II.3.11. «Didactique et littérature dans les collèges classiques du Québec». *Études littéraires*, XIV, 3 (décembre 1981): 369-555.

Étudie le discours didactique littéraire, la rhétorique comme instrument de pouvoir, l'enseignement classique proprement dit, les usages littéraires que manifestent 3500 travaux d'étudiants rédigés entre 1853 et 1967, le discours tenu sur les femmes dans des travaux scolaires ou des manuels d'histoire littéraire, le discours biographique dans ces mêmes manuels, le rôle des collèges dans la formation des écrivains du Québec.

II.3.12. *Le Québécois et sa littérature.* Sous la direction de René Dionne, Sherbrooke, Naaman, et Paris, Agence de coopération culturelle et technique (Collection «Littérature»), 1984, 462 p.

Vise à «présenter le Québécois et sa littérature aux diverses communautés de la francophonie». Synthèse de l'état actuel de la recherche jusqu'en 1978-1979. Bibliographie à la fin de la plupart des chapitres, dont un essai de bibliographie fondamentale (instruments de travail, œuvres littéraires). Deux index: noms de personnes, titres.

II.3.13. *Littérature québécoise. Voix d'un peuple, voies d'une autonomie.* Sous la direction de Gilles Dorion et Marcel Voisin. Bruxelles, Université libre de Bruxelles, 1985, 252 p.

Étudie certains thèmes (nomadisme, nouveau-né, nouvel Adam), des genres (poésie, roman, conte, théâtre), l'institution (école, édition, critique des années 1960), aborde des questions comme la femme, la laïcisation, le régionalisme, la littérature de la Nouvelle-France.

II.3.14. *L'institution littéraire.* Sous la direction de Maurice Lemire, avec la collaboration de Michel Lord. Québec, Institut québécois de recherche sur la culture et Centre de recherche en littérature québécoise, 1986, 211 p. – Actes du colloque organisé conjointement par l'IQRC et le CRELIQ.

Comprend quatre parties: notion d'institution; instances de consécration et de légitimation; institution du texte; production : rapport écrivain-éditeur.

II.3.15. *Le poids des politiques: livres, lecture et littérature.* Sous la direction de Maurice Lemire, avec la collaboration de Pierrette Dionne et Michel Lord. Québec, Institut québécois de recherche sur la culture, 1987, 191 p.

Outre l'aide à la création, examine les effets secondaires de l'intervention de l'État dans la culture. Comprend trois parties: domaine politique, domaine du quantifiable, domaine de l'opinion. Analyses de nombreuses revues.

II.3.16. «L'autonomisation de la littérature». *Études littéraires*, XX, 1 (printemps-été 1987): 9-204.

Travaux provenant de membres du Centre de recherche en littérature québécoise de l'Université Laval (CRELIQ), mais aussi d'autres chercheurs, dont Jacques Dubois, que la problématique de l'autonomisation de la littérature intéresse.

4. PÉRIODES ET COURANTS
(Les titres sont classés selon l'ordre chronologique des phénomènes étudiés.)

II.4.1. «Sur la Nouvelle-France: documents et questionnements». *Études littéraires*, X, 1-2 (avril-août 1977): 9-297.

Étudie des histoires, des catalogues de plantes, des cartes géographiques, des récits de voyages, des gravures – documents qui imposent «une série d'interrogations sur le comment de la connaissance de l'Autre et sur son innocence».

II.4.2. *Mouvement littéraire de Québec 1860.* Sous la direction de Paul Wyczynski, Bernard Julien et Jean Ménard. Ottawa, Université d'Ottawa (Collection «Archives des lettres canadiennes»), 1961, p. 135-351. – Numéro spécial de la *Revue de l'Université d'Ottawa* (avril-juin 1961).

Traite de François-Xavier Garneau, l'abbé Casgrain, Octave Crémazie, Louis Fréchette, Pamphile Le May, Xavier Marmier. Bilan littéraire de l'année 1960.

II.4.3. *L'école littéraire de Montréal.* Sous la direction de Paul Wyczynski, Bernard Julien et Jean Ménard. Montréal, Fides (Collection «Archives des lettres canadiennes»), 2ᵉ édition, 1972, 353 p. Illustré. – 1ʳᵉ édition: 1963.

Galerie de portraits des membres de l'école littéraire de Montréal et des personnes ayant gravité autour d'elle (dont É.-Z. Massicotte, Émile Nelligan, Charles Gill, Albert Laberge, Albert Lozeau, Jean-Aubert Loranger, Louis Dantin). La première édition comporte un bilan littéraire de l'année 1961.

II.4.4. LAHAISE, Robert. *Guy Delahaye et la modernité littéraire.* Montréal, Hurtubise HMH (Collection «Cahiers du Québec/Littérature»), 1987, xxvii-549 p. Illustré.

Concernant la modernité, se reporter plus particulièrement à la première partie, chapitres IV, V, à la deuxième partie, à la troisième partie, chapitres I, III. L'ouvrage comprend en outre une chronologie, une bibliographie: dépôts d'archives consultés, œuvres de Guy Delahaye, sources, références, études. Un seul index noms-titres.

II.4.5. «Archéologie de la modernité. Art et littérature au Québec de 1910 à 1945». *Protée*, XV, 1 (hiver 1987): 1-159.

Étudie, «à l'aide des 'concepts' et des 'méthodes d'analyse' les plus actuelles (rhétorique, poétique, sémiotique, etc.)», les artistes suivants: Guy Delahaye, Marcel Dugas, Robert de Roquebrune, Jean-Aubert Loranger, Alain Granbdbois, Saint-Denys Garneau, Paul-Émile Borduas. S'intéresse aussi à la réception d'Émile Nelligan, au *Nigog*, à l'École littéraire de Montréal, au théâtre. Comporte enfin quelques textes purement théoriques.

II.4.6. *Le Nigog.* Sous la direction de François Gallays, Sylvain Simard et Paul Wyczynski. Montréal, Fides (Collection «Archives des lettres canadiennes»), 1987, 390 p. Illustré.

Étudie le mouvement esthétique et littéraire qui s'est exprimé en 1918 à la revue *Le Nigog*, et dont la conception est aux antipodes de celle défendue par les fervents du *Terroir* (régionaliste). Comprend trois parties: la genèse et l'expression d'une pensée; la littérature (poésie, roman, critique); les arts (arts plastiques, architecture, musique). Bibliographie (manuscrits, ouvrages dactylographiés, imprimés, colloques). L'ouvrage se termine par un «Index du *Nigog*», de John Hare (un seul index des sujets, noms et œuvres cités, précédé de la liste des textes parus dans la revue).

II.4.7. PILOTTE, Gaston. «Victor Barbeau et la querelle du régionalisme». *Études françaises*, VII, 1 (février 1971): 23-47.

La querelle du régionalisme conduit l'écrivain canadien à une prise de conscience de la valeur humaine de l'œuvre littéraire, prise de conscience à laquelle contribue notamment Victor Barbeau. [Sur le régionalisme, voir aussi: II.3.13. – II.4.2. – II.4.6. – II.4.8 – III.1.B.6. – III.2.B.2. – III.2.B.4. – III.2.B.8. – III.2.B.12. – III.2.B.18.]

II.4.8. BONENFANT, Joseph *et al. À l'ombre de Des-Rochers. Le mouvement littéraire des Cantons de l'Est 1925-1950. L'effervescence culturelle d'une région.* Sherbrooke, La Tribune, Université de Sherbrooke, 1985, ix-381 p. Illustré.

Contenu de l'ouvrage: panorama historique, trois lectures critiques, Alfred DesRochers, le mouvement littéraire. En appendice, le mouvement littéraire, extraits d'interviews, bibliographie du régionalisme (Europe, États-Unis et Canada anglais, Québec), éléments biobibliographiques des écrivains de l'Est.

II.4.9. *L'avènement de la modernité culturelle au Québec.* Sous la direction d'Yvan Lamonde et Esther Trépanier. Québec, Institut québécois de recherche sur la culture, 1986, 319 p. Illustré.

Dix chercheurs examinent le problème de l'émergence de la modernité dans divers champs: littérature, peinture, danse, musique, médias, sciences sociales, sciences exactes. Tableaux et graphiques.

II.4.10. «Sémiotique textuelle et histoire littéraire du Québec». *Études littéraires*, XIV, 1 (avril 1981): 7-191.

Vise «à mettre en évidence *la norme qui existait dans la tradition littéraire des années 40 et qui tout à coup a été balayée au profit de normes plus modernes»*. Étudie la modernité romanesque, poétique et théâtrale de 1940 à 1975 au Québec.

II.4.11. BOURASSA, André-G. *Surréalisme et littérature québécoise. Histoire d'une révolution culturelle.* Montréal, Les Herbes Rouges (Collection «Typo»), Édition revue et augmentée, 1986, 623 p. Illustré. – 1ʳᵉ édition: 1977. [Disponible en anglais.]

S'intéresse aux «surréalistes» québécois des années 1940, dont il voit quelques précurseurs au XIXᵉ siècle, «surréalistes» dont l'influence s'exercerait au moins jusqu'au début des années 1970. Chronologie des événements culturels et socio-historiques survenus entre 1837 et 1983. Abondante bibliographie. Index onomastique.

II.4.12. GAUVIN, Lise. *«Parti pris» littéraire.* Montréal, Presses de l'Université de Montréal (Collection «Lignes québécoises»), 1975, 219 p.

Étude de l'ensemble du mouvement littéraire axé sur la revue *Parti pris*, qui a paru de 1963 à 1968. S'intéresse aux articles et aux œuvres, c'est-à-dire à la critique, à la poésie, aux récits (romans et recueils de nouvelles). Traite également de la langue. En annexe: repères chronologiques; importante bibliographie; opinions sur la revue, ses auteurs et leurs partis pris. Index des noms cités.

II.4.13. *L'avant-garde culturelle et littéraire des années 1970 au Québec.* Sous la direction de Jacques Pelletier. Montréal, Université du Québec à Montréal (Collection «Cahiers du Département d'études littéraires»), 1986, 193 p. Illustré.

Porte sur les discours et les pratiques se réclamant de l'avant-garde dans divers champs: théâtre, littérature, peinture, sciences sociales. Analyse quelques revues.

5. CHRONOLOGIE

II.5.1. TELLIER, Sylvie. *Chronologie littéraire du Québec 1760 à 1960.* Québec, Institut québécois de recherche sur la culture (Collection «Instruments de travail»), 1982, 349 p.

Complémentaire du *Dictionnaire des œuvres littéraires du Québec* (n° I.1.1). Comporte trois parties: 1761-1899, 1900-1939, 1940-1959, qui se subdivisent en tranches annuelles et en genres (récit, théâtre, poésie, essai). L'année de la première édition d'un ouvrage détermine son classement, une œuvre sans date figurant au début de la période à laquelle elle se rattache. En annexe, tableaux statistiques de la publication littéraire du Québec.

NOTES: Rappelons que chacun des cinq tomes parus du *Dictionnaire des œuvres littéraires du Québec* contient une chronologie comparative des événements littéraires et culturels survenus tant au Québec et dans l'Amérique anglophone qu'en Europe: France et Angleterre. Voir ci-dessus le n° I.1.1.

Pour les chronologies, on se reportera aussi aux entrées suivantes : II.2.4. – II.4.4. – II.4.11. – III.1.B.4. – III.2.B.4. – III.3.C.4. – III.5.B.8 – III.10.A.1. – IV.1.A.4. – IV.1.B.10. – IV.2.A.5. – IV.3.A.1. – IV.4.B.4. – VII.1.C.3. – VII.2.A.1. – VII.2.D.1. – VII.2.D.5.

6. ANTHOLOGIES

II.6.1. HUSTON, James. *Le répertoire national ou Recueil de littérature canadienne.* Montréal, Imprimerie de Lovell et Gibson, 4 tomes. – Réédité en 1982 chez VLB (préface de Robert Mélançon).

Tome I. 1848, viii-376 p.

Regroupe les productions d'écrivains canadiens et étrangers qui ont écrit au Canada. Écarte toute la production de la Nouvelle-France et les écrits à caractère politique. Textes classés selon l'année de leur parution. Ce tome couvre les années 1778-1837 et comprend, comme les volumes suivants, quelques notes et un index des noms d'auteurs.

Tome II. 1848, 384 p.

1837-1844. En appendice, textes datant de 1734, 1827 et 1829.

Tome III. 1848, 387 p.

1844-1846.

Tome IV. 1850, 411 p.

1846-1848. Ce tome comprend la liste des journaux français publiés au Canada jusqu'au 1ᵉʳ janvier 1851.

II.6.2. ROY, Camille. *Morceaux choisis d'auteurs canadiens.* Montréal, Librairie Beauchemin, 1934, 443 p.

Prolonge le *Manuel d'histoire de la littérature canadienne de langue française,* décrit ci-dessus au n° II.2.2. Comprend deux parties: sous le régime français; sous le régime anglais. Celle-ci se divise en trois périodes, les deux dernières se subdivisant en genres: origines canadiennes (1760-1860); 1860-1900 (histoire; poésie; roman; chroniques, journalisme, éloquence); 1900-1930 (poésie; histoire; philosophie, sociologie, éloquence; roman; récits, chroniques, critique). Précédés de très courtes notices, les extraits sont souvent suivis d'observations.

II.6.3. RENAUD, André. *Recueil de textes littéraires canadiens-français.* Montréal, Renouveau pédagogique, 1968, 320 p. Illustré.

Reprend la division adoptée par Roger Duhamel, dans son manuel de littérature décrit ci-dessus au n° II.2.4. Deux index: genres et auteurs.

II.6.4. *Anthologie de la littérature québécoise.* Sous la direction de Gilles Marcotte. Montréal, La Presse, 4 tomes.

Tome I. LEBLANC, Léopold. *Écrits de la Nouvelle-France 1534-1760.* 1978, xiii-311 p.

Comporte quatre parties: découvertes et fondations; la grande mission; un pays à construire; la civilisation de la Nouvelle-France. De même que le deuxième volume, il réunit toutes sortes d'écriture: poème et sermon, histoire et relation de voyage, critique et roman, discours politique et journal intime. Les extraits sont l'objet d'une brève présentation.

Tome II. DIONNE, René. *La patrie littéraire 1760-1895.* 1978, xii-516 p.

Se divise en trois parties: origines canadiennes (1760-1836); patrie littéraire (1837-1865); survie messianique (1866-1895). Se subdivise en genres.

Tome III. MARCOTTE, Gilles et François HÉBERT. *Vaisseau d'or et croix du chemin 1895-1935.* 1979, xv-498 p.

Peu importe le genre qu'ils ont pratiqué, les auteurs sont classés selon leur année de naissance.

Tome IV. DIONNE, René et Gabrielle POULIN. *L'âge de l'interrogation 1937-1952.* 1980, 463 p.

Dans chaque tome, bibliographie des ouvrages cités.

NOTE: On se reportera aussi avec profit à la collection «Classiques canadiens» des éditions Fides.

III
LES GENRES

1. POÉSIE

A. Bibliographies

*** HARE, John. «Bibliographie de la poésie canadienne-française des origines à 1967». *La poésie canadienne-française* (voir ci-dessous le n° III.1.B.3), p. 601-698.

Se divise ainsi: liste d'études générales sur la poésie; recueils de poèmes classés par ordre alphabétique d'auteurs, avec mention des pseudonymes et des études importantes; liste d'anthologies et de recueils collectifs dans l'ordre alphabétique; chronologie des recueils (1803-1967).

III.1.A.1. PLATNICK, Phyllis. *Canadian Poetry. Index to Criticisms (1970-1979)/Poésie canadienne. Index des critiques (1970-1979)*. Sans lieu, Canadian Library Association, 1985, xxviii-337 p.

Classement selon l'ordre alphabétique des poètes. Deux bibliographies: sources, essais sur la poésie canadienne. Liste des périodiques cités.

B. Études

III.1.B.1. BESSETTE, Gérard. *Les images en poésie canadienne-française*. Montréal, Beauchemin, 1960, 282 p.

Contenu de l'ouvrage: différentes sortes de tropes, leur évolution en poésie française, les tropes en poésie canadienne-française, Émile Nelligan. Bibliographie: documents, ouvrages spéciaux et généraux.

III.1.B.2. MARCOTTE, Gilles. *Le temps des poètes. Description critique de la poésie actuelle au Canada français*. Montréal, HMH, 1969, 251 p.

Porte principalement sur les œuvres d'Alain Grandbois,

*** Les notices bibliographiques précédées de trois astérisques correspondent à la partie d'un ouvrage décrit ailleurs dans ce guide.

Saint-Denys Garneau, Rina Lasnier, Anne Hébert, Paul-Marie Lapointe, Roland Giguère. Comprend quelques extraits de prospectus de l'Hexagone. Liste des textes des auteurs étudiés. Index des noms cités.

III.1.B.3. *La poésie canadienne-française.* Sous la direction de Paul Wyczynski, Bernard Julien, Jean Ménard et Réjean Robidoux. Montréal, Fides (Collection «Archives des lettres canadiennes»), 1969, 701 p. Illustré.

Comprend quatre parties: perspectives historiques et thématiques; profils de poètes; enquête littéraire sur la poésie canadienne-française contemporaine; bibliographie de la poésie canadienne-française des origines à 1967 par John Hare, décrite ci-dessus au début de la sous-section III.1.A.

III.1.B.4. BLAIS, Jacques. *De l'ordre et de l'aventure. La poésie au Québec de 1934 à 1944.* Québec, Presses de l'Université Laval (Collection «Vie des lettres québécoises»), 1975, x-440 p.

Suit l'évolution de la poésie «à partir des œuvres elles-mêmes et des essais critiques, tout en les rattachant à l'arrière-plan, à la vie même des idées et de la société». Chronologie. Abondante bibliographie. Deux index: noms et titres, sujets.

III.1.B.5. BRAULT, Jacques. *Chemin faisant.* Essais. Montréal, La Presse (Collection «Échanges»), 1975, 150 p.

Traite de poésie, de langue, de l'écrivain, de poètes, dont Miron, Nelligan, Baudelaire, Saint-Denys Garneau, Grandbois, Michaux, Juan Garcia, etc.

III.1.B.6. LORTIE, Jeanne d'Arc. *La poésie nationaliste au Canada français (1606-1867).* Québec, Presses de l'Université Laval (Collection «Vie des lettres québécoises»), 1975, ix-535 p.

Chapitre préliminaire: La préparation lointaine (1606-1764). L'ouvrage comprend deux parties: instinct patriotique (1764-1830) [identité collective et poésie anonyme (1764-1806), effusions nationalistes et préromantiques (1806-1830)]; poussée romantique (1830-1867) [frustration politique et premier romantisme (1830-1845), poésie de la patrie concrète (1845-1860), nationalisme culturel et jaillissement poétique (1860-1867)]. L'auteure a dépouillé presque tous les journaux et revues de langue française de 1764 à 1895. Bibliographie. Index des noms, titres et sujets.

III.1.B.7. NEPVEU, Pierre. *Les mots à l'écoute. Poésie et silence chez Fernand Ouellette, Gaston Miron et Paul-Marie Lapointe.* Québec, Presses de l'Université Laval (Collection «Vie des lettres québécoises»), 1979, 293 p.

Bibliographie: textes des poètes étudiés, textes critiques sur ceux-ci, ouvrages théoriques, œuvres diverses.

C. Anthologies

III.1.C.1. FOURNIER, Jules. *Anthologie des poètes canadiens.* Mise à jour et préface par Olivar Asselin. Montréal, Granger frères, 3ᵉ édition, 1933, 299 p. – 1ʳᵉ édition: 1920.

Se divise en quatre périodes: de Joseph Quesnel à Louis-Joseph Fiset; d'Octave Crémazie à Eudore Évanturel; de Gonzalve Desaulniers à Émile Nelligan; de René Chopin à Clément Marchand. Poètes classés selon leur année de naissance.

III.1.C.2. SYLVESTRE, Guy. *Anthologie de la poésie québécoise.* Montréal, Librairie Beauchemin, 7ᵉ édition, 1974, xxiv-412 p. – 1ʳᵉ édition: 1943.

La cinquième édition (1966) comprenait sept parties: romantisme, poètes du terroir, école littéraire de Montréal, artistes et humoristes, traditions vivantes, voies nouvelles, jeune poésie. La septième édition présente les poètes dans le même ordre, sans conserver la division en parties. [Précédemment intitulé *Anthologie de la poésie canadienne-française.*]

III.1.C.3. BOSQUET, Alain. *Poésie du Québec*. Paris, Seghers, et Montréal, HMH, 1971, 274 p. – 1ʳᵉ édition: 1962.

Les poètes (d'Alain Grandbois à André Major) sont classés selon leur année de naissance. [A d'abord paru en 1962 sous le titre *la Poésie canadienne*, puis en 1966 sous le titre *la Poésie canadienne contemporaine de langue française.*]

III.1.C.4. COTNAM, Jacques. *Poètes du Québec*. Montréal, Fides (Collection «Bibliothèque québécoise»), 1982, 251 p. – 1ʳᵉ édition: 1969.

D'Octave Crémazie à Gilles Vigneault. Se divise en trois parties: à l'aube de la poésie québécoise; l'école littéraire de Montréal; poètes contemporains. Bibliographie: ouvrages de référence, histoires de la littérature canadienne-française, livres et articles consacrés à la poésie canadienne-française, livres et articles consacrés aux poètes cités. Index des poètes retenus.

III.1.C.5. HARE, John. *Anthologie de la poésie québécoise du XIXᵉ siècle (1790-1890)*. Montréal, Hurtubise HMH (Collection «Textes et documents littéraires»), 1979, 410 p. Illustré.

Le nom de chacun des quarante-deux poètes retenus (de Joseph Quesnel à Rodolphe Cherrier) est suivi d'une notice biobibliographique qui, dans certains cas, s'étend sur quelques pages. Chaque extrait est l'objet d'une brève présentation. Bibliographie sommaire: ouvrages généraux; bibliographies; études générales; anthologies.

III.1.C.6. MAILHOT, Laurent et Pierre NEPVEU. *La poésie québécoise des origines à nos jours*. Montréal, l'Hexagone (Collection «Typo»). Nouvelle édition revue et mise à jour, 1986, 642 p. – 1ʳᵉ édition: 1981.

Abondante bibliographie des ouvrages généraux, des anthologies et recueils collectifs, des œuvres des auteurs retenus (production du poète, ouvrages ou articles critiques les plus significatifs). Index des auteurs.

III.1.C.7. LORTIE, Jeanne d'Arc, avec la collaboration de Pierre Savard et Paul Wyczynski. *Les textes poétiques du Canada français 1606-1867.* Montréal, Fides, 2 tomes, dont un paru.

Tome I. *1606-1806.* 1987, lxvii-613 p.

Retient les écrits imprimés et versifiés d'un auteur, indépendamment de leur intérêt documentaire et de leur qualité strictement esthétique. Comprend une bibliographie (poèmes, sources manuscrites et imprimées, ouvrages de référence, études), des notices biographiques et deux listes: alphabétique des titres, des mots expliqués.

2. ROMAN

A. Bibliographies

*** HARE, John E. «Bibliographie du roman canadien-français 1837-1962». *Le roman canadien-français* (voir ci-dessous le n° III.2.B.1), p. 415-511.

Précédé d'une liste d'études sur le roman (ouvrages généraux, livres et thèses, articles de revues et de journaux), ce chapitre comporte trois parties: bibliographie du roman par ordre alphabétique des auteurs; chronologie du roman; liste des romans pour adolescents. Supplément bibliographique pour les années 1963-1969.

III.2.A.1. HAYNE, David M. et Marcel TIROL. *Bibliographie critique du roman canadien-français, 1837-1900.* Québec, Presses de l'Université Laval, 1968, viii-144 p.

Se divise en deux parties: sources bibliographiques, biographiques et critiques; auteurs (liste des productions de l'auteur, quelques notes biographiques, bibliographie de la critique suscitée par l'œuvre). Index des noms et titres.

B. Études

III.2.B.1. *Le roman canadien-français. Évolution. Témoignages. Bibliographie.* Sous la direction de Paul Wyczynski. Montréal, Fides (Collection «Archives des lettres canadiennes»), 3ᵉ édition, 1977, 514 p. – 1ʳᵉ édition: 1964.

Se divise en trois parties: études historiques et critiques, générales ou particulières, sur l'évolution du roman canadien-français; témoignage direct de vingt-deux romanciers; bibliographie générale par John Hare, que nous décrivons ci-dessus dans la sous-section III.2.A.

III.2.B.2. ROBIDOUX, Réjean et André RENAUD. *Le roman canadien-français du vingtième siècle.* Ottawa, Université d'Ottawa (Collection «Visages des lettres canadiennes»), 1966, 221 p.

Précédée d'une introduction («Le genre romanesque au Canada français»), cette étude, qui s'inscrit dans une perspective structuraliste, comporte quatre chapitres: roman de la terre et roman historique, roman de mœurs, roman psychologique ou intérieur, recherches formelles.

III.2.B.3. FALARDEAU, Jean-Charles. *Notre société et son roman.* Montréal, HMH (Collection «Sciences de l'homme et humanisme»), 1967, 234 p.

S'inscrit dans une perspective sociologique. Comprend deux parties: étude de maintes productions des XIXᵉ et XXᵉ siècles, y compris des textes écrits par des Canadiens anglais; étude des œuvres de Robert Charbonneau et Roger Lemelin.

III.2.B.4. LEMIRE, Maurice. *Les grands thèmes nationalistes du roman historique canadien-français.* Québec, Presses de l'Université Laval (Collection «Vie des lettres canadiennes»), 1970, xii-283 p.

Se divise en deux parties: thèmes positifs (Iroquoise, missionnaires, pionniers, soldats) et négatifs (déportation des Acadiens, Bigot, France ou Canada, victoire morale, guerres canado-américaines, 1837-1838). En appendice, l'auteur étudie l'influence du nationalisme sur le roman historique et propose un tableau chronologique des principaux thèmes du roman historique. Bibliographie: roman historique, nationalisme, roman canadien-français. Index des auteurs et titres.

III.2.B.5. MARCOTTE, Gilles. *Le roman à l'imparfait. Essais sur le roman québécois d'aujourd'hui.* Montréal, La Presse (Collection «Échanges»), 1976, 195 p.

Étudie plus particulièrement les œuvres de Gérard Bessette, Réjean Ducharme, Marie-Claire Blais, Jacques Godbout. Index des noms cités.

III.2.B.6. DOSTALER, Yves. *Les infortunes du roman dans le Québec du XIXe siècle.* Montréal, Hurtubise HMH (Collection «Cahiers du Québec/Littérature»), 1977, 175 p.

Se penche «sur l'influence qu'exercent les facteurs externes dans l'évolution d'un genre littéraire». Étudie «l'opinion canadienne-française à l'égard du roman», surtout étranger. Bibliographie: sources manuscrites, imprimées, instruments de travail, études.

III.2.B.7. SHEK, Ben-Zion. *Social Realism in the French-Canadian Novel.* Montréal, Harvest House, 1977, 326 p.

Se divise en quatre parties: milieu socio-culturel; famille prolétarienne, crise économique et Seconde Guerre; employé de bureau; opposition et révolte. Liste des ouvrages consultés: livres, opuscules, thèses, articles. Index des noms et titres.

III.2.B.8. DUCROCQ-POIRIER, Madeleine. *Le roman canadien de langue française de 1860 à 1958. Recherche d'un esprit romanesque.* Paris, A.G. Nizet, 1978, 908 p.

Se divise en quatre parties: 1860-1900, balbutiements; 1900-1930, prise de conscience des possibilités culturelles; 1930-1945, apparition de Montréal dans le roman; 1945-1958, une certaine modernité. En annexe, biographies des romanciers classés par ordre alphabétique. Bibliographie: répertoires bibliographiques du roman canadien-français; ouvrages généraux, ouvrages sur le français parlé au Canada, ouvrages critiques sur le roman canadien-français. Deux index: auteurs et œuvres.

III.2.B.9. *Structure, idéologie et réception du roman québécois de 1940 à 1960.* Sous la direction de Jacques Michon. Sherbrooke, Département d'études françaises, Faculté des arts, Université de Sherbrooke (Collection «Cahiers d'études littéraires et culturelles»), 1979, 109 p.

Se divise en deux parties: discours dominant, idéologie du roman. En guise de conclusion, un article sur la conception de la littérature chez les collaborateurs de *Cité libre*. Bibliographie des articles et des chroniques littéraires de cette revue. Un seul index des noms d'auteurs et des textes.

III.2.B.10. BELLEAU, André. *Le romancier fictif. Essai sur la représentation de l'écrivain dans le roman québécois.* Québec, Presses de l'Université du Québec (Collection «Genres et discours»), 1980, 155 p.

Considère la production des années 1940-1960. Se divise en cinq chapitres: un singulier personnage; l'écrivain à la première personne; romans du code et romans de la parole; l'écrivain comme produit du langage; mort de l'écrivain, naissance de la parole. Indications bibliographiques: romans québécois, textes généraux sur le roman québécois; autres textes; théorie littéraire.

III.2.B.11. «Contemporary Quebec Fiction». *Canadian Literature*, 88 (printemps 1981) : 1-90.

Ensemble de neuf études sur des romanciers (Gérard Bessette, Jacques Ferron, André Langevin, Roch Carrier, Jacques Benoit, Hubert Aquin, André Major) et sur certaines tendances du roman québécois contemporain.

III.2.B.12. BOYNARD-FROT, Janine. *Un matriarcat en procès. Analyse systématique de romans canadiens-*

français, 1860-1960. Montréal, Presses de l'Université de Montréal (Collection «Lignes québécoises»), 1982, 234 p.

Étudie un certain nombre de romans du terroir afin de mettre au jour «le processus par lequel se réalise l'assujettissement des individus à une idéologie dominante par le biais de lecture-écriture». Bibliographie: histoire et littérature canadiennes-françaises; études générales; approches marxistes, formelles et sociologiques de la littérature; approches féministes (productions québécoise et étrangère).

III.2.B.13. IMBERT, Patrick. *Roman québécois contemporain et clichés.* Ottawa, Université d'Ottawa (Collection «Cahiers du Centre de recherche en civilisation canadienne-française»), 1983, 187 p.

Comprend six chapitres: convention; conscience des clichés; mots, clichés, idéogrammes; discours dichotomisé; clichés et double isotopie; causalité, paradigme, censure, folie. Bibliographie: théorie; critique; littératures québécoise et canadienne-anglaise; divers. Index des auteurs.

III.2.B.14. BELLEAU, André. «Carnavalisation et roman québécois: mise au point sur l'usage d'un concept de Bakhtine». *Études françaises,* XIX, 3 (hiver 1983-1984): 51-64.

Mise au point concernant la carnavalisation dans un grand nombre de romans québécois depuis la fin des années 1950.

III.2.B.15. PELLETIER, Jacques. *Lecture politique du roman québécois contemporain.* Montréal, Université du Québec à Montréal (Collection «Cahiers d'études littéraires»), 1984, iii-151 p.

Dégage de son corpus l'enjeu culturel, social et politique. Traite notamment du nationalisme et du roman social. Étudie plus particulièrement les écrits de Jacques Godbout, André Major, Victor-Lévy Beaulieu, Jacques Ferron, Paul Villeneuve.

III.2.B.16. ARGUIN, Maurice. *Le roman québécois de 1944 à 1965. Symptômes du colonialisme et signes de libération.* Québec, Centre de recherche en littérature québécoise, Université Laval (Collection «Essais»), 1985, 227 p.

Étudie le roman de mœurs urbaines, psychologique et de contestation. Bibliographie: romans, critique littéraire, sociologie, ouvrages généraux, bibliographies. Index des romans.

III.2.B.17. LORD, Michel. *En quête du roman gothique québécois 1837-1860. Tradition littéraire et imaginaire romanesque.* Québec, Centre de recherche en littérature québécoise, Université Laval (Collection «Essais»), 1985, 157 p.

Se demande si les premiers romans québécois se rattachent à une tradition; si oui, à laquelle et dans quelle mesure ils se distinguent du modèle. Lexique. Bibliographie: œuvres étudiées, études sur le roman noir québécois, études sur le préromantisme et le roman noir européen, études méthodologiques. Index des noms et titres.

III.2.B.18. PROULX, Bernard. *Le roman du territoire.* Montréal, Service des publications de l'Université du Québec à Montréal (Collection «Cahiers du Département d'études littéraires»), 1987, 327 p.

Décrit l'évolution du roman de la terre. Étudie la naissance du genre, se demande s'il répond au modèle agriculturiste et se termine par l'analyse de *Menaud, maître-draveur* et *Trente arpents,* apogée du genre. Bibliographie.

III.2.B.19. ROY, Max. *Parti pris et l'enjeu du récit.* Québec, Centre de recherche en littérature québécoise (Collection «Essais»), 1987, 190 p.

Vise d'abord «à la connaissance de quelques-uns des textes de création les plus représentatifs parus aux éditions Parti pris», puis à une typologie du récit. La nouvelle intitulée *le Cassé* de Jacques Renaud fait l'objet essentiel de l'analyse, qui se réfère également à *la Ville inhumaine* de Laurent Girouard, *la*

Chair de poule d'André Major, *Pleure pas, Germaine* de Claude Jasmin. Bibliographie.

III.2.B.20. WHITFIELD, Agnès. *Le je(u) illocutoire. Forme et contestation dans le nouveau roman québécois.* Québec, Presses de l'Université Laval (Collection «Vie des lettres québécoises»), 1987, 342 p.

Étudie d'abord le roman autobiographique, puis les cinq œuvres suivantes: *l'Avalée des avalés, Kamouraska, l'Incubation, Serge d'entre les morts, Prochain épisode.* Bibliographie sélective: sources, ouvrages critiques, articles, ouvrages généraux, méthodologiques et théoriques.

III.2.B.21. *Québec-Acadie: modernité/postmodernité du roman contemporain.* Sous la direction de Madeleine Frédéric et Jacques Allard. Montréal, Université du Québec à Montréal, 1987, 200 p. – Actes d'un colloque tenu à Bruxelles du 27 au 29 novembre 1985.

Étudie des romans québécois et acadiens de l'après-guerre, caractérisés par des innovations thématiques, formelles et langagières, dont l'écriture féminine constitue l'une des sources. Soulève également la question de l'identité culturelle du Québec et de l'Acadie. Contributions d'écrivains.

C. Anthologie

III.2.C.1. ROUSSEAU, Guildo. *Préfaces des romans québécois du XIXᵉ siècle.* Préface de David M. Hayne. Montréal, Cosmos (Collection «Textes et commentaires»), 1970, 111 p. Illustré.

Couvre la période 1837-1900. Bibliographie sommaire. Deux index: noms et œuvres.

3. RÉCIT BREF

A. Bibliographie

III.3.A.1. BOIVIN, Aurélien. *Le conte littéraire québécois au XIXe siècle. Essai de bibliographie critique et analytique.* Montréal, Fides, 1975, xxxviii-385 p.

Se divise en deux parties: liste des recueils de contes, classés par ordre alphabétique d'auteurs ou de compilateurs; liste des contes par ordre alphabétique d'auteurs. Un résumé accompagne la mention de chaque récit. Bibliographie: instruments de travail et ouvrages généraux, études. Liste des périodiques dépouillés. Index des noms d'auteurs.

B. Études

III.3.B.1. «Conte parlé, conte écrit». *Études françaises,* XII, 1-2 (avril 1976): 3-177.

Aborde le conte sous ses deux aspects: oral et littéraire. Partie théorique: sur le récit bref en général et le conte amérindien, camerounais, français ou québécois en particulier. Contributions d'écrivains: Antonine Maillet, Jacques Ferron, Roch Carrier.

III.3.B.2. DEMERS, Jeanne et Lise GAUVIN. «Frontières du conte écrit: quelques loups-garous québécois». *Littérature,* 45 (février 1982): 5-23.

À partir d'un corpus de douze textes québécois, on tente de définir le conte écrit.

C. Anthologies

III.3.C.1. MASSICOTTE, Édouard-Zotique. *Conteurs canadiens-français du XIXe siècle.* Montréal, C.-O. Beauchemin, 1902, viii-330 p. Illustré de portraits dessinés par Edmond-J. Massicotte. [Réédité en 1908, puis, en trois volumes, en 1913 et 1924.]

Comprend une préface critique, des textes de seize auteurs publiés entre 1837 et 1900, des notices biographiques et un glossaire.

III.3.C.2. BESSETTE, Gérard. *De Québec à Saint-Boniface. Récits et nouvelles du Canada français.* Toronto, Macmillan of Canada, 1968, x-286 p.

Conçu pour des étudiants anglophones. Textes de Faucher de Saint-Maurice, Louis Fréchette, Vieux Doc, Albert Laberge, Alain Grandbois, Ringuet, Roger Viau, François Hertel, Roger Lemelin, Robert de Roquebrune, Yves Thériault, Gabrielle Roy, Claire Martin, Jacques Ferron, Jean Simard, Jean Hamelin. Chaque récit est précédé d'une notice biographique et suivi d'un questionnaire.

III.3.C.3. THÉRIO, Adrien. *Conteurs canadiens-français. Époque contemporaine.* Montréal, Librairie Déom, 1970, 377 p.

Reproduit les textes (parus entre 1936 et 1964) de vingt-trois auteurs (d'Albert Laberge à Suzanne Paradis). Une notice biobibliographique suit le nom de chaque auteur.

III.3.C.4. HARE, John. *Contes et nouvelles du Canada français 1778-1859*, tome I. Préface de David M. Hayne. Ottawa, Université d'Ottawa (Collection «Centre de recherche en civilisation canadienne-française»), 1971, 193 p.

En plus de deux contes anonymes, le recueil présente des textes d'Aubert de Gaspé, Boucher de Boucherville, A.-R. Chevrier, O. Chevrier, Joseph Doutre. Une notice biobibliographique précède les morceaux choisis d'un auteur. Chronologie des romans, contes et nouvelles. Bibliographie sommaire.

III.3.C.5. BOIVIN, Aurélien. *Le conte fantastique québécois au XIXe siècle.* Montréal, Fides (Collection «Bibliothèque québécoise»), 1987, 440 p.

Présente des textes de Philippe Aubert de Gaspé père, Alphonse Poitras, Louis-Auguste Olivier, Guillaume Lévesque, Paul Stevens, Philippe Aubert de Gaspé fils, Joseph-Charles Taché, Faucher de Saint-Maurice, Honoré Beaugrand, Wenceslas-Eugène Dick, Charles-Marie Ducharme, Louis Fréchette, Pamphile Lemay, Louvigny de Montigny.

III.3.C.6. ÉMOND, Maurice. *Anthologie de la nouvelle et du conte fantastiques québécois au XXe siècle.* Montréal, Fides (Collection «Bibliothèque québécoise»), 1987, 280 p.

Présente des textes de Michel Bélil, André Berthiaume, Jacques Brossard, André Carpentier, Roch Carrier, Claudette Charbonneau-Tissot, Andrée Maillet, Claude Mathieu, Daniel Sernine, Marie José Thériault, Yves Thériault, Michel Tremblay.

III.3.C.7. THÉRIO, Adrien. *Conteurs québécois, 1900-1940.* Ottawa, Presses de l'Université d'Ottawa (Collection «Cahiers du Centre de recherche en civilisation canadienne-française»), 1987, 130 p.

Présente une collection d'une trentaine de récits brefs d'une quinzaine d'auteurs, dont chacun a droit à des notes bibliographiques.

4. RÉCIT DE VOYAGE

A. Bibliographie

III.4.A.1. HARE, John. *Les Canadiens français aux quatre coins du monde: une bibliographie commentée des récits de voyage, 1670-1914.* Québec, Société historique de Québec (Collection «Cahiers d'histoire»), 1964, 215 p.

Introduction. Auteurs classés selon l'année où commence le voyage dont fait état la relation. Bibliographie: études sur les récits de voyages publiés et bibliographies générales, études particulières sur les voyages et les voyageurs canadiens. Index onomastique. Liste alphabétique des voyageurs. Classification des récits selon le but du voyage. Index des endroits visités.

B. Études

III.4.B.1. BERTHIAUME, André. *La découverte ambiguë. Essai sur les récits de voyage de Jacques Cartier et leur fortune littéraire*. Montréal, Cercle du Livre de France, 1976, 207 p.

Étudie la sensibilité d'un voyageur du XVIᵉ siècle, en contact pour la première fois «avec nos paysages d'avant l'homme». S'intéresse aussi aux lectures que François-Xavier Garneau, Louis Fréchette, William Chapman, A. Poisson, Alphonse Désilets, Lionel Groulx, Marius Barbeau, Félix-Antoine Savard, Pierre Perrault, Jacques Ferron ont faites des récits. Chronologie des trois voyages de Jacques Cartier. Bibliographie: éditions des récits; ouvrages cités.

III.4.B.2. «Écrits de voyage relatifs à la Nouvelle-France». *Revue de l'Université d'Ottawa*, XLVIII, 1-2 (janvier-avril 1978): 6-168. Illustré. – Actes d'un colloque tenu à Toronto en 1975.

Regroupe neuf études sur la littérature de voyage des XVIIᵉ et XVIIIᵉ siècles, notamment: les cartes de Champlain, les *Relations* des jésuites, les écrits de Sagard, Brébeuf, Lahontan, les langues amérindiennes. Bibliographies aux pages 114-115, 145-147, 165-167.

III.4.B.3. JAUMAIN, Serge. «Paris devant l'opinion canadienne-française: les récits de voyages entre 1820 et 1914». *Revue d'histoire de l'Amérique française*, XXXVIII, 4 (printemps 1985): 549-568.

Analyse trente-trois récits de voyages afin d'examiner le discours idéologique qui se cache derrière les impressions rapportées par les voyageurs «à l'intention de leurs compatriotes». Bibliographie incorporée dans les notes infrapaginales.

III.4.B.4. «Voyages en Nouvelle-France». *Études françaises*, XXII, 2 (automne 1986): 1-96. Illustré.

Les récits de voyages constituent «un espace médiateur, construit à l'intersection du livre et du monde, où le déplacement devient écriture, et la lecture, parcours» dont les auteurs soulignent les étapes essentielles: le départ, l'inscription dans le paysage, la fin du voyage.

NOTE: Sur le récit de voyage, on se reportera aussi aux entrées suivantes: III.6.A. – IV.2.A.2. – IV.2.B.1. – IV.3.A.1. – IV.4.B.11.

5. THÉÂTRE

A. Bibliographies

*** HARE, John E. «Bibliographie du théâtre canadien-français (des origines à 1973)». *Le théâtre canadien-français* (voir ci-dessous le n° III.5.B.3), p. 951-999.

Se divise ainsi: bibliographies; recueils et anthologies, études générales; théâtres, troupes et comédiens; dramaturgie; pièces de théâtre dans l'ordre alphabétique des noms d'auteurs. À la fin des notices bibliographiques figure un choix d'études sur le dramaturge considéré.

III.5.A.1. LAVOIE, Pierre. *Pour suivre le théâtre au Québec: les ressources documentaires.* Québec, Institut québécois de recherche sur la culture (Collection «Documents de recherche»), 1985, 521 p.

Se divise en sept chapitres: bibliographies spécialisées; bibliographies générales; documents audiovisuels; études théâtrales; fonds d'archives; mémoires et thèses; publications gouvernementales. Aborde aussi le théâtre radiophonique et télévisuel (voir la sous-section III.10.A).

III.5.A.2. *Répertoire théâtral du Québec*. Montréal, Cahiers de théâtre *Jeu*, 3 tomes parus.

Tome I. 1re édition, couvrant les années 1979-1980, 1979, 180 p.

Se divise en deux parties. On énumère d'abord les troupes, les théâtres (classés par régions et dans l'ordre alphabétique) et les organismes qui animent la vie théâtrale au Québec. Puis on offre un résumé des textes retenus par le Centre d'essai des auteurs dramatiques (période couverte: 1957-1979). Trois index: auteurs; titres; organismes, troupes, théâtres.

Tome II. 2e édition, couvrant l'année 1981, 1981, 272 p.

Ayant supprimé la seconde partie de leur répertoire, dont se charge le Centre d'essai des auteurs dramatiques (voir ci-dessous le n° III.5.A.3), les auteurs ont décidé d'étoffer la première, relative aux troupes, compagnies et coopératives, organismes, lieux (dont les bibliothèques et les centres de documentation théâtrale). Ils recensent également les publications des troupes, compagnies et organismes du Québec, les périodiques de théâtre canadiens et étrangers, les chroniques de théâtre au Québec.

Tome III. 3e édition entièrement revue, corrigée et augmentée, 1984, 503 p.

III.5.A.3. *Répertoire du Centre d'essai des auteurs dramatiques*. Montréal, Centre d'essai des auteurs dramatiques, 3 tomes. [Le 1er tome s'intitule *Répertoire des textes du Centre d'essai des auteurs dramatiques*.]

À la fois ouvrage de référence et catalogue. Présente la théâtrographie. Inclut nombre de résumés de pièces. Se divise en répertoires pour adultes, adolescents et enfants. Chacune des trois parties se subdivise ainsi: pièces écrites par un seul auteur, par des auteurs collectifs, en collaboration.

Tome I. 1981, 151 p.

Comprend une partie «Autres pièces disponibles», qui mentionne les textes antérieurs à l'année 1979 retenues par le CEAD (voir ci-dessus le n° III.5.A.2) ou faisant partie du répertoire québécois, sans être passés par la filière du CEAD. Deux index: titres et auteurs.

Tome II. *Des auteurs, des pièces: portraits de la dramaturgie québécoise.* Sous la direction d'Hélène Dumas. 1985, 186 p. [Index non paginés]. Illustré.

Trois index: titres, auteurs, traducteurs (pour les pièces traduites en anglais). Bisannuel.

Tome III. *Des auteurs, des pièces: portraits de la dramaturgie québécoise. Annexe.* Sous la direction de Chantale Cusson. 1987, 73 p. [Index non paginés].

Deux index: titres et auteurs.

B. Études

III.5.B.1. GODIN, Jean-Cléo et Laurent MAILHOT. *Le théâtre québécois. Introduction à dix dramaturges contemporains.* Montréal, HMH, 1970, 254 p.

Porte sur Gratien Gélinas, Éloi de Grandmont, Yves Thériault, Marcel Dubé, Françoise Loranger, Anne Hébert, Jacques Ferron, Jacques Languirand, Michel Tremblay, Réjean Ducharme. Bibliographie: ouvrages et articles généraux sur le théâtre québécois; auteurs étudiés (oeuvres dramatiques, études et documents). Index analytique et index onomastique. [Pour le tome II, voir ci-dessous le n° III.5.B.6.]

III.5.B.2. BURGER, Baudouin. *L'activité théâtrale au Québec (1765-1825).* Montréal, Parti pris (Collection «Aspects»), 1974, 410 p.

Comporte quatre parties: contexte littéraire; conditions pratiques; théâtre et littérature; théâtre et société. Cinq appendices. Bibliographie des sources et des études. Index des noms de personnes.

III.5.B.3. *Le théâtre canadien-français.* Sous la direction de Paul Wyczynski, Bernard Julien et Hélène Beauchamp-Rank. Montréal, Fides (Collection «Archives des lettres canadiennes»), 1976, 1005 p.

Précédé d'un panorama du théâtre canadien-français, l'ouvrage comporte six parties: les origines; vers une tradition théâtrale; profil d'auteurs dramatiques (Gratien Gélinas, Paul Toupin, Marcel Dubé, Jacques Languirand, Françoise Loranger, Anne Hébert, Jacques Ferron, Michel Tremblay); étude et analyse de quelques pièces récentes (de Claire Martin, Yves Thériault, Roch Carrier, Marie-Claire Blais, Françoise Loranger, Michel Tremblay, Guy Dufresne, Robert Gurik, Jean-Claude Germain); témoignages sur le théâtre québécois (enquête littéraire); bibliographie par John Hare, décrite ci-dessus au début de la sous-section III.5.A.

III.5.B.4. «Dramaturgie actuelle». *Jeu,* 8 (printemps 1978): 3-184.

Rend notamment compte de la dramaturgie récente au Canada anglais, de quatre dramaturges québécois de la nouvelle génération (Denis Chouinard, Robert Claing, Serge Mercier, André Simard), de Michel Tremblay.

III.5.B.5. LAFLAMME, Jean et Rémi TOURANGEAU. *L'Église et le théâtre au Québec.* Montréal, Fides, 1979, 356 p.

Apporte «une connaissance chronologique des rapports et des attitudes de l'Église face au théâtre». Comporte trois parties: rigorisme de l'Église et hésitation du théâtre (1606-1836); conservatisme de l'Église et contestations du théâtre (1836-1896); moralisme de l'Église et provocations du théâtre (1896-1962). Bibliographie: archives et sources manuscrites, sources imprimées, ouvrages de référence, études, périodiques.

III.5.B.6. GODIN, Jean-Cléo et Laurent MAILHOT. *Théâtre québécois*, tome II. *Nouveaux auteurs, autres spectacles.* Montréal, Hurtubise HMH, 1980, 248 p.

Traite des productions de Jean Barbeau, Michel Garneau, Jean-Claude Germain, Robert Gurik, Françoise Loranger, Antonine Maillet, Sauvageau, Michel Tremblay. Bibliographie. Index analytique et index des noms de personnes. [Pour le tome I, voir ci-dessus le n° III.5.B.1.]

III.5.B.7. LARRUE, Jean-Marc. *Le théâtre à Montréal à la fin du XIXe siècle.* Montréal, Fides, 1981, 141 p.

Se divise en quatre parties: vie du théâtre avant 1890, vie du théâtre à Montréal entre 1890 et 1900, théâtre canadien, troupes professionnelles locales. Bibliographie: sources, études, œuvres. Index des noms et titres.

III.5.B.8. «Un théâtre qui s'écrit». *Jeu*, 21 (1e trimestre 1981): 5-220.

Fait «le point sur l'état et les tendances de l'écriture théâtrale québécoise». Fait également écho à la troisième tournée européenne de lectures-spectacles organisée par le Centre d'essais des auteurs dramatiques du 9 janvier au 6 février 1982. Comporte bon nombre d'entrevues, avec Élizabeth Bourget, Jeanne-Mance Delisle, Marie Laberge, Pierre Kattini Malouf, Louis Saia, Serge Sirois. Traite encore du théâtre de Claude Gauvreau, Réjean Ducharme, France Vézina, Michel Tremblay, Jean-Pierre Ronfard. Contient deux chronologies fragmentaires: du théâtre québécois en Europe (1955-janvier 1982) et des créations québécoises depuis 1975.

III.5.B.9. «Le théâtre». *Revue d'histoire littéraire du Québec et du Canada français*, 5 (hiver-printemps 1983): 5-123.

Contenu du numéro: introduction à l'histoire du théâtre québécois; le théâtre politique au XIXe siècle; le théâtre au début du XXe siècle; le théâtre et la situation de la femme; le théâtre francophone à l'extérieur du Québec.

III.5.B.10. DOUCETTE, Leonard E. *Theatre in French Canada: Laying the Foundations 1606-1867.* Toronto, Buffalo et London, University of Toronto Press, 1984, x-290 p.

Suit l'évolution du théâtre au Canada français. Bibliographie: sources, études, thèses. Index des noms et titres.

III.5.B.11. BEAUCHAMP, Hélène. *Le théâtre pour enfants au Québec: 1950-1980.* Montréal, Hurtubise HMH (Collection «Littérature»), 1985, 306 p. Illustré.

Comprend deux parties: une étude historique du phénomène; l'établissement d'une typologie et des conditions de l'écriture. Bibliographie: sources (textes des pièces, documents, entrevues, documents audio-visuels); études (ouvrages généraux, études sur le théâtre pour enfants, thèses, bibliographies). Deux annexes: les saisons du théâtre pour enfants 1949-1950 et 1980-1981; tableau des subventions 1973-1981. Deux index: titres, noms propres.

III.5.B.12. «Théâtre québécois: tendances actuelles». *Études littéraires,* XVIII, 3 (hiver 1985): 1-249. Illustré.

Comprend trois parties: analyses (sur l'expérimentation théâtrale, la mise en scène, l'improvisation, quelques dramaturges, le théâtre pour la jeunesse, le public); documents (de Marie Laberge, Jovette Marchessault, Jean-Pierre Ronfard); comptes rendus. Bibliographie sur la mise en scène.

C. Anthologies

III.5.C.1. DOAT, Jan. *Anthologie du théâtre québécois. Le théâtre canadien de langue française de ses origines à nos jours 1606-1970.* Québec, La Liberté, 1973, 505 p.

Se divise en quatre parties: temps historiques (1606-1899); temps révolus (1900-1930); temps modernes (1930-1945); époque contemporaine (1945-1970). Répertoire des auteurs (par ordre alphabétique). Cinq appendices. Classement des auteurs par époques. Liste des œuvres citées, selon l'ordre alphabétique. Bibliographie élémentaire.

III.5.C.2. DUVAL, Étienne-F., avec la collaboration de Jean Laflamme. *Anthologie thématique du théâtre québécois au XIXe siècle.* Montréal, Leméac (Collection «Théâtre»), 1978, 462 p.

Comprend deux parties: histoire nationale (Nouvelle-France, conquête, indépendance américaine, rébellion de 1837-1838, affaire Riel); société québécoise [politique, économie, mœurs (éducation, famille, vices et travers sociaux, humour, divers)]. Chaque extrait est précédé d'une notice biobliographique et d'un résumé de la pièce dont il est tiré. Deux index: œuvres et auteurs.

III.5.C.3. MAILHOT, Laurent et Doris-Michel MONT-PETIT. *Monologues québécois 1890-1980.* Montréal, Leméac, 1980, 420 p. Illustré.

Se compose de six parties: choses à dire [fables, déclamations, gazettes rimées (1890-1920)]; revues, sketches, variétés (1920-1945); du cabaret à la radio (1945-1960); entre la politique et la poésie (1960-1970); nouvelles voix, nouvelles voies (1970-1980); le monologue au théâtre.

III.5.C.4. Le Centre d'essais des auteurs dramatiques. *20 ans.* Montréal, VLB éditeur, 1985, 316 p.

Réunit des textes de sept ou huit pages commandés par le CEAD à l'occasion de son vingtième anniversaire. Vingt et un dramaturges, qui ont «été liés à la maison à un moment ou l'autre de leur travail d'écriture», ont répondu à l'invitation.

NOTE: Pour les études sur le théâtre, voir en outre les entrées suivantes: VI.2.1. – VI.2.13. On aura aussi intérêt à consulter la revue trimestrielle intitulée «Cahiers de théâtre *Jeu*». Publiée à Montréal depuis 1976, elle analyse les différentes avenues de la pratique théâtrale québécoise, canadienne et étrangère.

6. ESSAI

A. Bibliographie

*** HARE, John, Chantal MOTARD et Robert VI-
GNEAULT. «Bibliographie représentative de la prose
d'idées au Québec, des origines à 1980». *L'essai et la
prose d'idées au Québec* (voir ci-dessous le n° III.6.B.2),
p. 783-921.

Conçu selon le plan suivant: essais; études; autobiographies,
mémoires, témoignages, journaux intimes; récits de voyages.
Certaines études sont suivies d'une bibliographie (p. 237-
242, 309-311, 334, 394-395, 651-652, 687-688, 733-734,
781).

B. Études

III.6.B.1. «Sur l'essai québécois contemporain». *Voix et
images*, V, 3 (printemps 1980): 515-543.

Regroupe trois textes présentés lors d'un mini-colloque tenu
le 5 octobre 1979: Marcotte, Gilles, «Les années trente: de
Monseigneur Camille à *la Relève*», p. 515-524; Vigneault,
Robert, «Essayistes d'une Cité (plus inquiète que) libre»,
p. 525-536; Belleau, André, «Approches et situation de
l'essai québécois», p. 537- 543.

III.6.B.2. *L'essai et la prose d'idées au Québec.* Sous la direction de François Gallays, Sylvain Simard et Paul Wyczynski. Montréal, Fides (Collection «Archives des
lettres canadiennes»), 1985, 926 p.

Se divise en trois parties: naissance et évolution d'un discours
d'ici; recherche et érudition (études de textes portant sur un
objet délimité); forces de la pensée et de l'imaginaire
(précurseurs de l'essai et essayistes). Articles synthétiques de
Paul Wyczynski et François Gallays sur la critique littéraire

(voir ci-dessous la sous-section III.7.B). Bibliographie par John Hare, décrite ci-dessus en III.6.A.

C. Anthologie

III.6.C.1. MAILHOT, Laurent, avec la collaboration de Benoît Melançon. *Essais québécois 1837-1983. Anthologie littéraire*. Montréal, Hurtubise HMH (Collection «Textes et documents littéraires»), 1984, 658 p. Illustré.

Essayistes présentés par ordre chronologique. Chaque extrait précédé d'une notice biobibliographique (essais, études). Bibliographie sur la théorie du genre et sur l'essai québécois en général. Index thématique et index des essayistes de l'anthologie.

7. CRITIQUE

A. Bibliographies

*** WYCZYNSKI, Paul. «Histoire et critique littéraires au Canada français. Bibliographie». *Littérature et société canadiennes-françaises*, (décrit ci-dessus au n° II.3.2), p. 52-69.

Contenu de la bibliographie (qui n'est pas exhaustive): histoire littéraire; ouvrages généraux d'histoire et de critique littéraires; articles généraux d'histoire et de critique littéraires; études sur le roman; études sur la poésie; études sur le théâtre.

III.7.A.1. HAYNE, David M. *Bibliographie analytique de la critique littéraire au Québec*. Sans lieu, Association des professeurs de français des universités et collèges canadiens (fascicule pédagogique n° 4), 1981, i-15 p.

Réunit un choix d'articles et d'ouvrages qui considèrent la

critique québécoise comme un sous-genre littéraire. Écarte les textes théoriques ou méthodologiques.

B. Études

III.7.B.1. *Réception critique de textes littéraires québécois.* Sous la direction de Richard Giguère. Sherbrooke, Département d'études françaises, Faculté des arts, Université de Sherbrooke (Collection «Cahiers d'études littéraires et culturelles»), 1982, 202 p.

Comprend cinq études: «Caractéristiques socio-économiques des mouvements littéraires québécois»; «La double réception des *Demi-civilisés*, 1934 et 1962»; «Les rapports d'Yves Thériault avec la critique (1944-1964)»; «Contenu et réception du roman 'féminin' québécois (1960-1969)»; «La réception critique de l'Hexagone dans les revues, 1954-1970». Liste des comptes rendus et des articles critiques.

III.7.B.2. BELLEAU, André. «La démarche sociocritique au Québec». *Voix et images*, VIII, 2 (hiver 1983): 299-310.

Comprend des indications bibliographiques: livres, numéros spéciaux de revues, articles.

III.7.B.3. FOURNIER, Marcel. «Littérature et sociologie au Québec». *Études françaises*, XIX, 3 (hiver 1983-1984): 5-18.

Étudie la manière dont sociologues et spécialistes de la littérature ont parlé de la littérature québécoise.

*** WYCZYNSKI, Paul. «Essai sur la littérature: des origines à 1960», p. 75-108. GALLAYS, François, «Essai de critique littéraire: de 1961 à 1980», p. 109-141. Dans *l'Essai et la prose d'idées au Québec*, décrit ci-dessus au n° III.6.B.2.

P. Wyczynski identifie «le discours centré sur les questions littéraires, perceptible dans la vie culturelle d'une société d'expression française en train d'organiser ses institutions politiques et sociales» et précise «les fluctuations du concept même de littérature canadienne-française depuis 1840 jusqu'en 1960». De son côté, F. Gallays ne considère que les ouvrages «où est manifeste un certain travail de l'écriture», notamment ceux de Réjean Robidoux, Michel Plourde, François Bilodeau, Michel Lemaire, Robert Vigneault, Roland Bourneuf, Jean Marcel, François Ricard, Victor-Lévy Beaulieu, Pierre Nepveu, Jean-Louis Major, André Belleau, Jean-Cléo Godin, Laurent Mailhot, André Brochu, Gilles Marcotte.

III.7.B.4. *La perspective critique québécoise.* Sous la direction de Pierre-Louis Vaillancourt et Sylvain Simard. Ottawa, Research Group «1900», Comparative Literature, Carleton University, 1985, 117 p.

Considère la littérature québécoise des années 1900. Outre la présentation de S. Simard, comprend des articles portant sur le développement du théâtre, l'École littéraire de Montréal, l'essai littéraire, la réception critique de l'œuvre d'Émile Nelligan, d'*Angéline de Montbrun*, de *Maria Chapdelaine*. Bibliographies aux pages 17, 51-58, 68-69, 82. Un seul index des noms et sujets.

III.7.B.5. «La critique littéraire». *Revue d'histoire littéraire du Québec et du Canada français*, 14 (été-automne 1987): 1-108.

Sur la critique en tant que genre. Traite d'Octave Crémazie, Arthur Buies, Edmond Lareau et Paul Gay. André Brochu décrit son propre cheminement critique. Enfin, on trace l'évolution de la psychocritique au Québec de 1960 à 1980.

C. Anthologies

III.7.C.1. MARCOTTE, Gilles. *Présence de la critique. Critique et littérature contemporaines du Canada français.* Montréal, HMH, 1966, 254 p.

Regroupe des textes écrits et publiés à partir de 1945. Index des auteurs traités.

III.7.C.2. SHOULDICE, Larry. *Contemporary Quebec Criticism.* Toronto, Buffalo et London, University of Toronto Press, 1979, xi-217 p.

Comprend deux parties: contexte (Jean Éthier-Blais, David M. Hayne, Hubert Aquin, Michèle Lalonde); thèmes et genres (Jean-Charles Falardeau, Gilles Marcotte, Paul Chamberland, Gérard Bessette, Lucien Francoeur, Jacques Brault). Index thématique.

8. LITTÉRATURE PERSONNELLE

A. Bibliographies

III.8.A.1. LAMONDE, Yvan. *Je me souviens. La littérature personnelle au Québec (1860-1980).* Québec, Institut québécois de recherche sur la culture (Collection «Instruments de travail»), 1983, 275 p.

Analyse les genres suivants: journal personnel, souvenirs, mémoires, autobiographies. Bibliographie analytique des documents personnels. Tableaux. Deux listes de documents personnels: 1860-1980, par genres et ordre alphabétique d'auteurs; 1824-1980, par genres et par périodes couvertes. Index onomastique.

III.8.A.2. LEJEUNE, Philippe. *Bibliographie des études en langue française sur la littérature personnelle et les récits de vie.* Paris, Université de Paris X (Collection «Cahiers de sémiotique textuelle»), 2 tomes.

Tome I. *1982-1983.* 1984, 69 p.

Tome II. *1984-1985.* 1986, 90 p.

Suivi bibliographique qui inclut le Québec et continue de paraître.

B. Études

III.8.B.1. VAN ROEY-ROUX, Françoise. *La littérature intime au Québec.* Montréal, Boréal Express, 1983, 256 p.

Retient un corpus écrit entre 1760 et 1979. Étudie les genres suivants: journal intime, mémoires, autobiographies, souvenirs, correspondance. Bibliographie: ouvrages généraux; ouvrages spécialisés; textes. Index des auteurs.

III.8.B.2. «La littérature personnelle». *Revue d'histoire littéraire du Québec et du Canada français,* IX (hiver-printemps 1985): 13-106.

Après avoir retracé l'évolution de la littérature personnelle au Québec, on étudie les sous-genres suivants: le récit d'enfance, l'autobiographie, le journal, les mémoires intimes, la correspondance.

NOTE: Sur la littérature personnelle, on se reportera aussi à la sous-section III.6.A.

9. LITTÉRATURE DE JEUNESSE

A. Bibliographies

III.9.A.1. POTVIN, Claude. *Le Canada français et sa littérature de jeunesse. Bref historique. Sources bibliographiques. Répertoire des livres.* Préface de Cécile Gagnon. Moncton (Nouveau-Brunswick), Éditions CRP, 1981, 185 p.

Précédé d'un bref historique de la littérature pour enfants. Présente les sources bibliographiques, suivant l'ordre alphabétique des auteurs, sur la littérature de jeunesse au Canada français (1920-1979). Comprend deux répertoires: des livres, d'abord classés par périodes, puis à l'intérieur de chacune d'elles, par ordre alphabétique d'auteurs ou de titres; des pseudonymes. Deux index: auteurs et titres.

III.9.A.2. WARREN, Louise. *Répertoire des ressources en littérature de jeunesse.* Préface d'André Vanasse. Montréal, Marché de l'écriture, 1982, 146 p.

Recense les organismes, revues spécialisées, maisons d'édition, chercheurs, créateurs, animateurs, critiques, prix littéraires, qui ont un lien avec la littérature de jeunesse. Index des personnes ressources par secteurs d'activités.

III.9.A.3. *Sources of French-Canadian Children's and Young People's Books/Sources d'information sur les livres de jeunesse canadiens-français.* Liste compilée par Irene E. Aubrey. Ottawa, Bibliothèque nationale du Canada, Édition révisée et augmentée, 1984, 18 p.

Entrées classées selon l'ordre alphabétique des titres retenus.

B. Étude

III.9.B.1. LEMIEUX, Louise. *Pleins feux sur la littérature de jeunesse au Canada français.* Montréal, Leméac, 1972, 342 p.

Se divise en deux parties: un historique et le monde de l'édition; les études biobibliographiques. Bibliographie. Deux tableaux. Quatre appendices. Deux index: auteurs et titres.

NOTE: Sur la littérature de jeunesse, on se reportera aussi aux entrées suivantes: II.1.B.1. – III.2.A (début). – III.5.A.3. – III.5.B.11. – III.5.B.12. – IV.1.A.1. – IV.2.A.2. – IV.2.A.4.

10. LITTÉRATURE RADIOPHONIQUE ET TÉLÉVISUELLE

A. Bibliographies et dictionnaire

III.10.A.1. PAGÉ, Pierre, avec la collaboration de Renée Legris et Louise Blouin. *Répertoire des œuvres de la littérature radiophonique québécoise 1930-1970.* Montréal, Fides (Collection «Archives québécoises de la radio et de la télévision»), 1975, 826 p.

L'introduction se divise en deux parties: le corpus radiophonique; jalons pour l'histoire. Suit, précédé d'une liste des pseudonymes, le répertoire proprement dit, par ordre alphabétique d'auteurs. En appendice, figurent une chronologie générale (1931-1970) et six tableaux synthèses. Comprend trois index: titres; réalisateurs; scripteurs, concepteurs, producteurs et collaborateurs.

III.10.A.2. *Vingt-cinq ans de dramatiques à la télévision de Radio-Canada 1952-1977.* Sous la direction de Lorraine Duchesnay. Montréal, Société Radio-Canada, 1978, xx-684 p.

Recense d'abord les téléthéâtres, puis les téléromans, tous classés par ordre chronologique. Deux index: titres et noms. [Pour la suite, voir ci-dessous le n° III.10.A.4.]

III.10.A.3. LEGRIS, Renée, avec la collaboration de Pierre Pagé, Suzanne Allaire-Poirier et Louise Blouin. *Dictionnaire des auteurs du radio-feuilleton québécois.* Montréal, Fides (Collection «Radiophonie et société québécoise»), 1981, 200 p.

Ce dictionnaire se divise en deux parties: statut socio-sémiologique des auteurs; biobibliographie des auteurs, classés par ordre alphabétique. La bibliographie se répartit ainsi: textes radiophoniques, textes de télévision, œuvres publiées, théâtre sur scène, revues, films.

III.10.A.4. *Les dramatiques à la télévision de Radio-Canada de 1977 à 1982*. Sous la direction de Lorraine Duchesnay. Montréal, Société Radio-Canada, 1983, 456 p.

Ce répertoire, dont la structure est semblable à celle de l'ouvrage décrit ci-dessus au n° III.10.A.2, le prolonge.

*** LAVOIE, Pierre. «Documents audiovisuels». *Pour suivre le théâtre au Québec: les ressources documentaires* (décrit ci-dessus au n° III.5.A.1), p. 94-110.

Recense les ouvrages généraux, les disques, les diapositives et vidéos, les films et scénarios, les bibliographies et répertoires d'auteurs et de textes dramatiques pour la radio et la télévision.

B. Étude

III.10.B.1. «Télévision et fiction». *Études littéraires*, XIV, 2 (août 1981): 205-354.

Comprend cinq articles: «La rencontre du théâtre et de la télévision au Québec (1952-1957)»; «Cheminement des dramatiques françaises à travers quelques œuvres significatives»; «La fiction télévisée: structure de la diffusion et de la réception»; «Le téléroman, genre hybride: réalité et fiction à la télévision»; «Le téléroman: un genre sensible aux transformations sociales? Une analyse de *Rue des Pignons*». Contient «Un épisode de *Race de monde*, 'Jour de l'An'», de Victor-Lévy Beaulieu.

C. Anthologie

III.10.C.1. PAGÉ, Pierre, avec la collaboration de Renée Legris. *Le comique et l'humour à la radio québécoise. Aperçus historiques et textes choisis (1930-1970)*. Montréal, 2 tomes. Illustré.

En général, chaque chapitre porte sur un auteur. Précédés

d'une notice biographique et d'une présentation, les extraits sont suivis d'une bibliographie.

Tome I. La Presse, 1976, 677 p.

Se divise en quatre parties: les dramatiques par épisodes; le sketch et la peinture de mœurs; le radioroman comique et l'absurde; l'esprit satirique.

Tome II. Fides, 1979, 736 p.

Comprend les parties suivantes: la comédie en un acte; l'humour; un carrefour des formes humoristiques: *Chez Miville.*

NOTE: Sur la littérature radiophonique et télévisuelle, on se reportera aussi aux entrées suivantes: III.5.A.1. – III.11.B.2. – III.5.C.3.

11. PARALITTÉRATURE

A. Bibliographies

III.11.A.1. GAGNON, Claude-Marie et Sylvie PRO-VOST. *Bibliographie sélective et indicative de la paralittérature.* Québec, Institut supérieur des sciences humaines, Université Laval (Collection «Instruments de travail»), octobre 1978, 88 p.

Se divise en neuf sections: paralittérature, roman d'espionnage, roman policier, roman populaire, roman noir, roman fantastique, science-fiction, roman western, bande dessinée. Index des noms d'auteurs.

III.11.A.2. SPEHNER, Norbert. *Écrits sur le fantastique. Bibliographie analytique des études et essais sur le fantastique publiés entre 1900 et 1985 (littérature/cinéma/art fantastique).* Longueuil (Québec), Préambule (Collection «Paralittératures»), 1986, 352 p.

Cette bibliographie générale, qui inclut aussi le Québec, comprend deux parties: études générales sur le fantastique; études sur les auteurs fantastiques, addenda. Trois index: auteurs, écrivains fantastiques, périodiques avec dossiers ou numéros spéciaux

B. Études

III.11.B.1. «Actes du colloque de science-fiction». *Protée*, X, 2 (été 1982): 27-86.

Se reporter aux articles suivants: «L'apparition de la science-fiction au Québec»; «Spécificité nationale de la science-fiction»; «La bande dessinée de science-fiction et de fantastique au Québec».

III.11.B.2. «La consommation littéraire de masse au Québec». *Études littéraires*, XV, 2 (août 1982): 123-264.

Traite de la littérature en fascicules, du théâtre burlesque, des téléromans, de la revue *Châtelaine*, de la paralittérature religieuse. Se situe surtout sur le plan de la réception des œuvres.

III.11.B.3. «L'effet sentimental». *Études littéraires*, XVI, 3 (décembre 1983): 315-478.

Identifie et évalue l'effet de la littérature sentimentale de masse sur les lectrices. Étudie notamment les romans de la collection Harlequin, l'autobiographie religieuse et le personnage de Diane la belle aventurière.

III.11.B.4. BOUCHARD, Guy *et al. Le phénomène IXE-13*. Québec, Presses de l'Université Laval (Collection «Vie des lettres québécoises»), 1984, viii-337 p.

Présente les résultats d'une recherche consacrée à la redécouverte de la série de romans en fascicules intitulée *les Aventures étranges de l'agent IXE-13, l'us des espions canadiens*. Contenu de l'ouvrage: histoire d'une littérature industrielle, structures du récit d'espionnage, défaite des femmes, structure psychanalytique, idéologique du texte. Index numérique et chronologique de la série *IXE-13*.

C. Anthologie

III.11.C.1. BEAULIEU, Victor-Lévy. *Manuel de la petite littérature du Québec.* Montréal, l'Aurore (Collection «Connaissance des pays québécois»), 1974, 268 p. Illustré.

Manuel de la littérature parallèle, dont une bonne part a paru à compte d'auteur. Comprend six parties, consacrées aux monographies, à la religion, à l'ivrognerie, aux maladies, aux mystiques et aux martyrs de l'existence réelle et imaginative. Chaque partie débute par un commentaire, que viennent illustrer maints textes. Bibliographie des productions consultées. Deux index: noms cités et thèmes récurrents.

NOTES: Le fonds LIQUEFASC (littérature québécoise en fascicules) de l'Université Laval possède plus de mille romans en fascicules qui représentent la collection incomplète d'une centaine de séries d'aventures, publiées entre 1940 et 1970.

Sur la paralittérature, on se reportera aussi aux entrées suivantes: III.2.B.17. – V.1.B.3.

IV
RÉSEAUX

1. LITTÉRATURE DES COMMUNAUTÉS CULTURELLES

A. Bibliographies

IV.1.A.1. *Indian-Inuit Authors; an Annotated Bibliography/Auteurs indiens et inuit; bibliographie annotée.* Ottawa, Information Canada, 1974, 108 p. Illustré.

Relevé provisoire des œuvres écrites et publiées (jusqu'en 1972 inclusivement) par les autochtones du Canada. Se divise en deux parties, classées par ordre alphabétique d'auteurs: ouvrages d'auteurs indiens et métis; ouvrages d'auteurs inuit. Chacune de ces parties se subdivise ainsi: livres; livres écrits par des enfants autochtones; anthologies, ouvrages choisis; poésies et chansons; articles; discours; conférences, rapports, études, thèses; langue; textes. Index des auteurs.

IV.1.A.2. *The Annotated Bibliography of Canada's Major Authors.* Edited by Robert Lecker and Jack David. Downsview (Ontario), ECW Press, 1979-1985, 6 tomes parus.

Chaque tome comprend la bibliographie de quelques écrivains, dont certains du Québec: Hugh MacLennan, Mordecai Richler, Gabrielle Roy (tome I), Leonard Cohen (tome II), Frank R. Scott, A.J.M. Smith (tome IV), Mavis Gallant (tome V), P.K. Page (tome VI). Chacune de ces bibliographies se divise ainsi: œuvres de l'auteur (livres et contributions diverses), études critiques (ouvrages, articles). Index des critiques cités.

IV.1.A.3. NADEL, Ira Bruce. *Jewish Writers of North America. A Guide to Information Sources.* Detroit, Gale Research Company (Collection «American Studies Information Guide Series»), 1981, xix-493 p.

Comprend quatre parties: ouvrages de référence générale, poésie, roman et récit bref, théâtre. En appendice, la littérature yiddish. Auteurs canadiens clairement identifiés. Trois index: auteurs, titres et sujets.

IV.1.A.4. ROME, David, Judith NEFSKY et Paule OBER-MEIR. *Les Juifs du Québec. Bibliographie rétrospective annotée.* Québec, Institut québécois de recherche sur la culture (Collection «Instruments de travail»), 1981, xvi-317 p.

Structuré en fonction de quatre périodes historiques. À l'intérieur de celles-ci, ouvrages et documents répartis selon plusieurs thèmes (dont folklore, vie culturelle et artistique, aspects culturels). Contenu de l'ouvrage: aspects généraux; les Juifs au Québec avant 1880; au tournant du siècle (1880-1914); entre 1914 et 1945; de 1945 à nos jours; instruments de travail (bibliographies et chronologies, inventaires d'archives, dictionnaires et encyclopédies, guides, répertoires et annuaires, périodiques, journaux). Index onomastique.

IV.1.A.5. O'DONNELL, Brendan. *Printed Sources for the Study of English-Speaking Québec: An Annotated Bibliography of Works Published Before 1980.* Lennoxville, Bishop's University («Eastern Townships Research Centre»), 1985, 298 p.

Voir en particulier les chapitres suivants: culture [générale (p. 13-14), livres, bibliothèques et associations littéraires (p. 15-17), musique et théâtre (p. 19-20), littérature (p. 21-23)]; éducation [1760-1810 (p. 25-26), 1810-1867 (p. 27-35), 1867-1964 (p. 37-48), depuis 1964 (p. 49-51)].

IV.1.A.6. SUTHERLAND, Ronald. *No Longer a Family Affair: the Foreign-Born Writers of French Canada.* Report submitted to the Multiculturalism Directorate, Secretary of State, Government of Canada, 1986, 61 f.

Contient des éléments biobibliographiques sur des auteurs d'origine haïtienne, égyptienne, libanaise, italienne, juive, irakienne, allemande, russe, belge, yougoslave, uruguayenne et autres.

B. Études

IV.1.B.1. GNAROWSKI, Michael. «The Role of 'Little Magazines' in the Development of Poetry in English in Montreal», *Culture*, XXIV, 3 (septembre 1963): 274-286.

Étudie notamment *The McGill Fortnightly Review, The Canadian Mercury, Northern Review, Preview, First Statement, Direction.*

IV.1.B.2. GLASSCO, John. *English Poetry in Quebec. Proceedings of the Foster Poetry Conference. October 12-14, 1963.* Montréal, McGill University Press, 1965, 142 p.

On y aborde d'abord des questions concernant la poésie en général et la poésie québécoise de langue anglaise en particulier, de même que la critique et les petites revues. Suit une anthologie où sont retenus dix-huit poètes.

IV.1.B.3. *Histoire littéraire du Canada. Littérature canadienne de langue anglaise.* Sous la direction de Carl F. Klinck. Traduction de Maurice Lebel. Québec, Presses de l'Université Laval, 1970, 1105 p.

Comprend quatre parties: les terres nouvellement découvertes; la transplantation des traditions (1715-1880); l'apparition d'une tradition (1867-1920); la création d'une tradition (1920-1960). La quatrième partie se subdivise en genres. Bibliographie. Un seul index auteurs-titres. [A d'abord paru en anglais: *Literary History of Canada: Canadian Literature in English.* University of Toronto Press, 1965.]

IV.1.B.4. MACDONALD, Mary Lu. «Some Notes on the Montreal Literary Scene in the Mid-1820's». *Canadian Poetry,* 5 (automne-hiver 1979): 29-40.

Étudie l'histoire de deux périodiques: *Canadian Magazine* et *Canadian Review,* qui traitent de maints problèmes relatifs à la littérature canadienne naissante.

IV.1.B.5. «Quebec Fiction: the English Fact». *Journal of Canadian Fiction*, 30 (1980): 1-169.

Comprend deux parties. On présente d'abord des récits de Strowan Robertson, Ruth Knafo Setton, Terry Rigelhof, Philip Kreiner, Henry Beissel, Gail Scott. Leur succèdent des études portant sur A.M. Klein, Mordecai Richler, Brian Moore, Hugh Hood, de même que sur la réception critique des *Anciens Canadiens* et de *Return of the Sphinx*.

IV.1.B.6. JONASSAINT, Jean. «Les productions littéraires haïtiennes en Amérique du Nord (1969-1979)». *Études littéraires*, XIII, 2 (août 1980): 313-333.

Retient les textes littéraires écrits et publiés en Amérique du Nord ou ailleurs par des Haïtiens, résidant ou ayant résidé en Amérique du Nord, qui produisent en français ou en haïtien. Bibliographie: topos Haïti (roman, poésie); topos Amérique du Nord (poésie, roman); topos illusoire (poésie).

IV.1.B.7. STRATFORD, Philip. «Romanciers et nouvellistes anglophones du Québec: 1970-1980». *Protée*, X, 2 (été 1982): 11-14.

Essaie d'évaluer la contribution des écrivains anglophones du Québec à la «mosaïque» canadienne dans un contexte régional.

IV.1.B.8. ANCTIL, Pierre. «Les écrivains juifs de Montréal». *Juifs et réalités juives au Québec*. Québec, Institut québécois de recherche sur la culture, 1984, p. 195-252.

Parle notamment de I.G. Ascher, J.-I. Segal, A.M. Klein, Irving Layton, Mordecai Richler, Leonard Cohen. Bibliographie.

IV.1.B.9. *The Montreal Story Tellers. Memoirs, Photographs, Critical Essays*. Edited by J.R. (Tim) Struthers. Montréal, Véhicule Press, 1985, 225 p.

Choix d'essais évoquant les activités du *Montreal Story Teller Fiction Performance Group* au début des années 1970. Bibliographie des œuvres des cinq auteurs (Clark Blaise, Raymond Fraser, Hugh Hood, John Metcalf, Ray Smith).

IV.1.B.10. LANGLAIS, Jacques et David ROME. *Juifs et Québécois français. 200 ans d'histoire commune.* Montréal, Fides (Collection «Rencontre des cultures»), 1986, xxii-286 p.

Comprend cinq parties: genèse de la présence juive au Québec (1627-1882); la grande migration yiddish (1880-1940); la réaction du Québec français (1880-1940); la révolution tranquille des Juifs québécois (1945-1976); où va la communauté juive? Chronologie (1290-1976). Un seul index auteurs, titres et sujets.

IV.1.B.11. SIMON, Sherry. «The Language of Difference. Minority Writers in Quebec». *Canadian Literature*, Supplément n° 1 (mai 1987): 119-128.

S'intéresse notamment à Marco Micone, Jean Jonassaint, Régine Robin, Dany Laferrière, David Fennario. L'article est suivi des commentaires de Christl Verduyn, J.R. Rayfield, Barbara Godard (p. 128-137).

IV.1.B.12. «L'Indien imaginaire». *Recherches amérindiennes au Québec*, XVII, 3 (automne 1987): 2-94. Illustré.

Traite autant de littérature que de sciences sociales, du passé que du présent. L'ensemble du corpus (récits historiques, romans, films et même ouvrages ethnologiques) «procure une vaste perspective de l'imaginaire qui permet de dégager des constantes, d'établir des liens entre le passé et le présent, la science et la fiction». Contient également une entrevue avec l'anthropologue Rémi Savard.

C. Anthologies

IV.1.C.1. VACHON, André. *Éloquence indienne.* Montréal et Paris, Fides (Collection «Classiques canadiens»), 1968, 96 p.

Comprend deux parties: discours; réparties et bons mots.

IV.1.C.2. SPILBERG, Chaim et Yaacov ZIPPER. *Canadian Jewish Anthology/Anthologie juive du Canada.* Montréal, National Committee on Yiddish Canadian Jewish Congress, 1982, 172-499 p.

La partie anglaise se compose de documents et d'essais qui se rapportent au développement général de la vie communautaire juive au Canada. La partie française présente notamment des extraits de quatre auteurs: Naïm Kattan, R. Korn, M. Ravitch, J.-I. Segal. La troisième partie, soit les deux tiers de l'anthologie, regroupe des textes yiddish: essais littéraires, poésies, récits, études sociales et culturelles de la vie juive au Canada, hommages.

IV.1.C.3. VAN TOORN, Peter et Ken NORRIS. *Cross-Cut Contemporary English Quebec Poetry.* Montréal, Véhicule Press, 1982, 255 p.

Survol de la poésie québécoise anglophone culminant à la fin des années 1970 et au début des années 1980. Choix de textes de quelque soixante-dix poètes de cette période. Notes biographiques en fin de volume.

IV.1.C.4. CACCIA, Fulvio et Antonio D'ALFONSO. *Quêtes. Textes d'auteurs italo-québécois.* Montréal, Guernica, 1983, 283 p.

Chacun des dix-huit auteurs fait l'objet d'une brève présentation bibliographique. Dix d'entre eux écrivent en français, six en anglais et deux en italien.

NOTES: Chacun des ouvrages décrits en IV.1.B.2 et en IV.1.B.5. contient une anthologie.

Sur la littérature des communautés culturelles, on se reportera aussi aux entrées suivantes: I.2.4. – II.1.B.3. – II.3.9. – II.4.2. – II.4.8. – III.2.B.13. – III.3.B.1. – IV.2.B.1. – IV.2.B.6. – IV.2.B.7. – IV.2.B.8. – V.1.A.b.3 (tomes III et IV).

2. ÉTUDES COMPARÉES: LITTÉRATURES QUÉBÉCOISE ET CANADIENNE-ANGLAISE

A. Bibliographies

IV.2.A.1. HAYNE, David M. et Antoine SIROIS. «Preliminary Bibliography of Comparative Canadian Literature (English-Canadian and French-Canadian)». *Canadian Review of Comparative Literature/Revue canadienne de littérature comparée.*

Voir les numéros suivants:

III, 2 (printemps 1976): 124-136.

«First Supplement, 1975-6». IV, 2 (printemps 1977): 205-209.

«Second Supplement, 1976-7». V, 1 (hiver 1978): 114-119.

«Third Supplement, 1977-8». VI, 1 (hiver 1979): 75-81.

«Fourth Supplement, 1978-9». VII, 1 (hiver 1980): 93-98.

«Fifth Supplement, 1979-80». VIII, 1 (hiver 1981): 93-98.

«Sixth Supplement, 1980-1». IX, 2 (juin 1982): 235-240.

«Seventh Supplement, 1981-2». X, 1 (mars 1983): 80-85.

«Eighth Supplement, 1982-3». XI, 1 (mars 1984): 84-90.

«Ninth Supplement, 1983-84». XII, 3 (septembre 1985): 462-468. – À partir de ce numéro, Jean VIGNEAULT s'ajoute aux deux autres compilateurs.

«Tenth Supplement, 1984-85». XIII, 3 (septembre 1986): 450-457.

Rubriques: bibliographies (comprenant les littératures canadienne-anglaise et canadienne-française); ouvrages de référence (littérature ou auteurs); anthologies bilingues; périodiques publiant des études sur les deux littératures; histoires littéraires (couvrant l'une et l'autre littératures); études générales ou comparatives sur les deux littératures; comparaisons d'auteurs; comparaisons d'œuvres; comparaisons de genres littéraires; comparaisons de thèmes; comparaisons portant sur la langue et le style; traduction littéraire.

IV.2.A.2. STRATFORD, Philip. *Bibliography of Canadian Books in Translation: French to English and English to French/Bibliographie de livres canadiens traduits de l'anglais au français et du français à l'anglais.* Ottawa, Humanities Research Council of Canada, Conseil canadien de recherches sur les humanités, 2ᵉ édition revue et augmentée, 1977, 78 p.

Comprend six parties: traductions du français à l'anglais; traductions de l'anglais au français; projets de traduction en cours; bibliographies; index des traducteurs; index des noms d'auteurs. Les deux premières parties se subdivisent ainsi: roman; poésie; folklore; lettres, rapports, relations de voyages; essais; anthologies; livres pour enfants; religion. Les textes répertoriés, produits par des traducteurs individuels et non des agences anonymes, ressortissent non seulement à la littérature, mais encore aux arts, aux sciences humaines et sociales. Le tome IV du *Dictionnaire des œuvres littéraires du Québec* (voir ci-dessus le nº I.1.1) mentionne une troisième édition (1981) de cet ouvrage, mais aucune des bibliothèques qui participent à la banque de données REFCATSS ne l'a répertoriée.

IV.2.A.3. O'CONNOR, John J. «Letters in Canada 1976. Translations». *University of Toronto Quarterly*, XLVI, 4 (été 1977): 399-415.

Entre autres éléments, «Letters in Canada», qui paraît annuellement, comprend, depuis le numéro susmentionné, un tour d'horizon critique des traductions (en anglais ou en français) d'ouvrages canadiens. On présente et critique des bibliographies; on commente des traductions.

IV.2.A.4. *Canadian Translations/Traductions canadiennes.* Ottawa, Bibliothèque nationale du Canada. Deux tomes parus:

Tome I. *1984, 1985.* 1987, iii-281 p.

Tome II. *1986*. 1987, iv-498 p.

Chaque liste, qui recense les traductions publiées au Canada et cataloguées par la Bibliothèque nationale du Canada, comporte deux sections: documents classés par sujets (dont généralités, bibliographie, arts, littérature, y compris les livres d'enfants, biographie), puis par ordre alphabétique; ouvrages classés par ordre alphabétique d'auteurs-titres.

IV.2.A.5. DELISLE, Jean, avec la collaboration de Christel Gallant et Paul Horguelin. *La traduction au Canada/ Translation in Canada 1534-1984.* Ottawa, Presses de l'Université d'Ottawa, 1987, 436 p. Illustré.

Comprend trois parties: précis d'histoire de la traduction au Canada (chronologie, associations et organismes, sources d'archives, écoles et prix de traduction); deux bibliographies, l'une analytique, l'autre annotée (livres et documents, articles de périodiques et de journaux). Nombreux tableaux. Appendice.

B. Études

IV.2.B.1. SIROIS, Antoine. *Montréal dans le roman canadien.* Montréal, Marcel Didier, 1968, xlvi-195 p.

Présentation historique, géographique et sociologique de Montréal. Introduction: «Le roman canadien et la ville». Cinq chapitres: Montréal, vu de l'extérieur; les groupes ethniques; les classes sociales; la famille; la religion. En appendice, «Présence de Montréal dans les récits des écrivains-voyageurs français et anglais». Deux listes des romanciers d'expression française et anglaise (Morley Callaghan, Leonard Cohen, Mavis Gallant, Gwethalyn Graham, Hugh Hood, Stephen Leacock, Hugh MacLennan, Brian Moore, Mordecai Richler). Bibliographie: catalogues; récits de voyages; histoire et géographie; sociologie; histoire littéraire, essais critiques; thèses, études sur la ville; romans. Index auteurs et romans cités.

IV.2.B.2. MOISAN, Clément. *L'âge de la littérature cana-dienne. Essai.* Montréal, HMH (Collection «Constantes»), 1969, ix-193 p.

Vue à vol d'oiseau de la poésie. Se propose de démontrer la parenté des deux littératures canadiennes. Bibliographie. Liste des revues citées ou dépouillées. Index des auteurs cités.

IV.2.B.3. SUTHERLAND, Ronald. *Second Image. Comparative Studies in Québec/Canadian Literature.* Toronto, New Press, 1971, xiv-189 p.

Comprend six chapitres: deux solitudes; l'odeur de la race; la pantomime calviniste-janséniste; enfants du renouveau; le quatrième type de séparatisme; pierre angulaire pour une nouvelle morale. Bibliographie. Index des noms, titres et sujets.

IV.2.B.4. MOISAN, Clément. *Poésie des frontières. Étude comparée des poésies canadienne et québécoise.* Montréal, HMH (Collection «Constantes»), 1979, 343 p.

Étudie le champ de la poésie contemporaine, qu'il s'agisse de la poésie de la clandestinité, de la résistance, de la libération ou de la nouvelle culture. Bibliographie: sur les poésies canadienne et québécoise, ouvrages généraux sur les deux littératures, anthologies, poètes et œuvres étudiés, autres poètes. En annexe, classement des poètes par dates de naissance. Index des noms d'auteurs cités.

IV.2.B.5. SUTHERLAND, Ronald. *Un héros nouveau. Études comparatives des littératures québécoise et canadienne-anglaise.* Traduit de l'anglais par Jacques de Roussan. Montréal, Cercle du livre de France (Collection «Deux solitudes»), 1979, 173 p.

Cherche à prouver «que les Canadiens francophones et anglophones ont beaucoup de choses en commun, qu'ils partagent une même mystique». Voit «la littérature sous l'angle du réalisme social», débordant dans les domaines suivants: psychologie, sociologie, philosophie, économie, histoire. Étudie notamment la guerre à travers le roman et se livre à des réflexions sur cinq écrivains: Frederick Philip Grove, André Langevin, Gérard Bessette, Yvon Deschamps, Robertson Davies. Bibliographie. Un index noms, titres, sujets. [D'abord publié en 1977 par Macmillan of Canada sous le titre *The New Hero*.]

IV.2.B.6. *Translation in Canadian Literature.* Edited by Camille R. La Bossière. Ottawa, University of Ottawa Press (Collection «Reappraisals: Canadian Writers»), 1983, 132 p. — Actes d'un colloque tenu à l'Université d'Ottawa les 16 et 17 avril 1982.

État de la question sur la traduction en littérature canadienne et québécoise. Traite de la traduction en général, de la traduction littéraire aux XIXe et XXe siècles (des œuvres de Gabrielle Roy, A.M. Klein, Jean Éthier-Blais, Antonine Maillet).

IV.2.B.7. GIGUÈRE, Richard. *Exil, révolte et dissidence. Étude comparée des poésies québécoise et canadienne (1925-1955).* Québec, Presses de l'Université Laval (Collection «Vie des lettres québécoises»), 1984, xvi-283 p.

Comprend cinq parties: témoins de la crise (poésie sociale et radicale des années 1930); poésie philosophique et métaphysique de l'entre-deux-guerres; imaginaire spatio-temporel et naissance du concept de pays; libération du discours amoureux et «mouvement féminin»; guerre et après-guerre (une mutation en profondeur). Bibliographie: œuvres des poètes étudiés; études historiques, politiques et sociologiques; ouvrages théoriques. Index des noms et titres.

IV.2.B.8. «Littérature canadienne-anglaise». *Voix et images*, X, 1 (automne 1984): 3-65.

Comprend trois articles: «Une ou des littératures canadiennes? une entrevue avec D.G. Jones»; «L'espace de nos fictions: quelques réflexions sur nos deux cultures»; «Postmodernisme et avant-garde au Canada, 1960-1984». Bibliographie sélective: poésie canadienne (anthologies), roman canadien.

NOTES: On consultera avec profit la revue *Ellipse* publiée par la Faculté des arts de l'Université de Sherbrooke. Fondé à l'automne 1969, ce semestriel présente en traduction l'œuvre d'écrivains francophones et anglophones.

Sur les études comparées (littératures québécoise et canadienne-anglaise), on se reportera aussi aux entrées suivantes: II.4.8. – III.2.B.3. – IV.1.B.5.

3. LA LITTÉRATURE QUÉBÉCOISE ET LES AMÉRIQUES

A. Études

IV.3.A.1. ROUSSEAU, Guildo. *L'image des États-Unis dans la littérature québécoise (1775-1930)*. Sherbrooke, Naaman (Collection «Études»), 1981, 356 p. Illustré.

Trois parties: le mirage américain (l'attrait de la liberté, la quête du dépaysement, les États-Unis dans la vie quotidienne); le combat contre l'Amérique (l'or maudit de la Californie, l'abîme des *facteries*, laideur et infamie des États-Unis); la revanche finale (la rupture avec la vie américaine, la lutte contre l'emprise économique, le triomphe du colonisé). En appendice, deux tableaux chronologiques: des récits des voyageurs aux États-Unis; des principaux thèmes de l'image des États-Unis. Bibliographie: instruments de recherche, sources, études, auteurs et œuvres littéraires non étudiés. Deux index: noms et principaux lieux cités.

IV.3.A.2. GILBERT LEWIS, Paula. «Literary Relationships Between Quebec and the United States: A Meagre Reciprocity». *Essays on Canadian Writing*, 22 (été 1981): 86-110.

Conclut, d'une part, que «l'influence réelle des États-Unis sur la littérature québécoise, hormis celle de la littérature féministe américaine», n'est pas évidente et, d'autre part, qu'il y a eu «progrès de la conscience qu'ont les Américains du Québec et de sa littérature, mais que ce progrès a été lent et léger».

IV.3.A.3. «Regards du Brésil sur la littérature du Québec». *Études littéraires*, XVI, 2 (août 1983): 183-304.

Les articles s'attachent autant à la littérature qu'à la vie quotidienne ou au système d'enseignement.

IV.3.A.4. *Les rapports culturels entre le Québec et les États-Unis.* Sous la direction de Claude Savary. Québec, Institut québécois de recherche sur la culture, 1984, 353 p. – Actes d'un colloque tenu à Trois-Rivières en 1983.

Envisage la question des relations culturelles au sens anthropologique du terme, «soit l'ordre des normes, des valeurs, des comportements, de l'action et de l'organisation de l'existence». Comprend trois parties: perspectives historiques, des origines à la Deuxième Guerre mondiale; problèmes d'aujourd'hui (d'ordre économique, politique, éducatif, artistique). Tables rondes (enseignement et recherche sur les États-Unis et le Québec dans les universités québécoises et américaines). Bibliographie: international; guides bibliographiques Québec/Canada; périodiques universitaires québécois en matière de communication; publications gouvernementales; ouvrages québécois et canadiens.

IV.3.A.5. «Dossier comparatiste Québec-Amérique latine». *Voix et images*, XII, 1 (automne 1986): 11-66.

Lance des ponts entre des formations discursives québécoises, brésiliennes, argentines. Oriente la réflexion sur un axe nouveau: de l'Europe vers le Mexique, le Brésil, l'Argentine, le Pérou.

B. Anthologie

IV.3.B.1. POTEET, Maurice, avec la collaboration de Régis Normandeau, Manon Richer et Pierre Anctil. *Textes de l'exode. Recueil de textes sur l'émigration des Québécois aux États-Unis (XIXe et XXe siècles)*. Montréal, Guérin littérature (Collection «Francophonie»), 1987, 505 p. Illustré.

Se divise en quatre parties: dimensions de l'exode; la franco-américanie; textes littéraires; témoignages. La bibliographie, selon un seul ordre chronologique, contient: articles de revues, de dictionnaires bibliographiques, d'almanachs, d'encyclopédies; textes tirés d'actes de colloques ou provenant de recueils d'articles spécialisés, rapports gouvernementaux.

NOTE: Sur la littérature québécoise et les Amériques, on se reportera aussi aux entrées suivantes: III.2.B.4. – III.5.C.2.

4. LITTÉRATURE QUÉBÉCOISE ET FRANCOPHONIE

A. Bibliographie, dictionnaires

IV.4.A.1. HAYNE, David M. «Preliminary Bibliography of the Literary Relations between Quebec and the Francophone World». *Canadian Review of Comparative Literature/Revue canadienne de littérature comparée*, VI, 2 (printemps 1979): 206-218.

Rubriques: relations littéraires entre le Québec et la France (bibliographies, études d'ensemble, auteurs français); le Québec et le monde francophone hors de France (bibliographies, études, pays et régions).

IV.4.A.2. BEAUMARCHAIS, J.-P. de, Daniel COUTY et Alain REY. *Dictionnaire des littératures de langue* *française.* Paris, Bordas, 1984, 3 tomes [pagination continue]. Illustré.

Tome I. *A-F.* xv-859 p.

Tome II. *G-O.* p. 861-1680.

Tome III. *P-Z.* p. 1681-2637.

Dictionnaire d'auteurs et d'œuvres (pour quatre-vingt-dix écrivains français jugés essentiels). Quelque quatre cents articles concernant les études, l'histoire et la sociologie littéraires. Entrées classées selon un seul ordre alphabétique. À la fin du dernier tome, index des œuvres.

IV.4.A.3. *Dictionnaire général de la francophonie.* Sous la direction de Jean-Jacques Luthi, Auguste Viatte, Gaston Zananiri. Paris, Letouzey et Ané, 1986, 391 p. Illustré.

Un millier d'articles sur des auteurs, des régions, des pays, et divers sujets d'intérêt général. Bibliographie.

B. Études

IV.4.B.1. VIATTE, Auguste. *Histoire littéraire de l'Amérique française des origines à 1950.* Québec, Presses universitaires Laval, et Paris, Presses universitaires de France, 1954, xi-545 p.

Retient uniquement les auteurs américains (au sens large du terme) qui ont écrit en français ou les écrivains de France qui ont fait école en Amérique après s'y être installés. Précédé d'un chapitre préliminaire («Sous le régime français»), l'ouvrage, dont la préface se termine par une bibliographie sommaire, comprend trois parties: Canada; États-Unis; Antilles. Index onomastique.

IV.4.B.2. *Guide culturel. Civilisations et littératures d'expression française.* Sous la direction d'André Reboullet et Michel Tétu. Introduction d'Eugène Ionesco. Paris, Librairie Hachette, 1977, 380 p.

Contient une série d'inventaires documentaires sélectifs et descriptifs de toutes les formes langagières d'expression culturelle: littérature, théâtre, contes et récits, chanson, cinéma. Pour chacune des aires culturelles où la langue française est un moyen d'expression, ces inventaires sont précédés d'une étude qui précise la place et la fonction qu'occupe, ici et là, la langue française et qui esquisse les approches possibles de ces cultures. Deux panoramas, en début d'ouvrage, situent la langue française et les cultures francophones dans le monde. Orientations bibliographiques.

IV.4.B.3. *Littérature, histoire, idéologie (Québec-Haïti).* Sous la direction de Robert Giroux. Sherbrooke, Université de Sherbrooke, 1980, 267 p.

Essaie de «circonscrire les *rapports* qu'entretiennent l'histoire, la littérature et l'idéologie, d'une manière générale d'abord, et comme illustration sommaire, durant l'entre-deux-guerres au Québec et en Haïti». Analyse notamment deux revues: *l'Action française, les Idées.*

IV.4.B.4. VIATTE, Auguste. *Histoire comparée des littératures francophones.* Paris, Fernand Nathan (Collection «Nathan-Université»), 1980, 215 p.

Brosse un tableau d'ensemble des littératures francophones hors de France. Notes biographiques. Index onomastique. Repères chronologiques.

IV.4.B.5. *Lectures européennes de la littérature québécoise.* Sous la direction de Jean-Cléo Godin. Montréal, Leméac, 1982, 388 p. – Actes du colloque international de Montréal (avril 1981).

Répond à deux objectifs: dresser un bilan objectif de l'accueil réservé à la littérature québécoise dans les divers pays d'Europe; projeter sur la littérature québécoise un éclairage critique nouveau. Traite notamment du roman, de la poésie, du théâtre, de la critique et de l'institution littéraire.

IV.4.B.6. GEROLS, Jacqueline. *Le roman québécois en France.* Montréal, Hurtubise HMH (Collection

«Cahiers du Québec»), 1984, 363 p.

Décrit la position du lecteur, de l'éditeur et du critique français sur le roman québécois paru en France. Bibliographie: romans québécois publiés en France de 1945 à 1976; études critiques sur le roman québécois; histoire littéraire, ouvrages et articles généraux; sociologie de la littérature; corpus critique.

IV.4.B.7. «Dépendance et autonomie des littératures francophones». *Présence francophone*, 26 (1985): 1-74.

Interroge la situation actuelle des littératures francophones dans ses rapports avec la métropole française.

IV.4.B.8. *Trajectoires: littérature et institutions au Québec et en Belgique francophone.* Sous la direction de Lise Gauvin et Jean-Marie Klinkenberg. Bruxelles, Labor (Collection «Dossiers media»), 1985, 272 p.

Étude comparée de deux littératures minoritaires qui permet d'affiner le concept d'institution et de le soumettre à la critique autant que d'élaborer des instruments originaux d'analyse. La plupart des travaux rassemblés posent qu'il n'est pas de connaissance sérieuse d'une institution sans connaissance de la structure sociale et historique qui en est le support.

IV.4.B.9. HÉBERT, Pierre. «La réception de la littérature canadienne-française en France, au XIXᵉ siècle». *Voix et images*, XI, 2 (hiver 1986): 264-300. Illustré.

Parle notamment de François-Xavier Garneau, P.-J.-O. Chauveau, Louis Fréchette, Octave Crémazie, J.-G. Barthe, J. Tassé. Les notes fourmillent d'indications bibliographiques.

IV.4.B.10. JOUBERT, Jean-Louis, Jacques LECARME, Éliane TABONE et Bruno VERCIER. *Les littératures francophones depuis 1945.* Paris, Bordas, 1986, 383 p. Illustré.

Dresse un état des lieux, manifeste, textes en mains, la vitalité des littératures de langue française, et propose «un parcours à travers les œuvres significatives de la francophonie». Introduction: «Langues françaises, francophonie et littératures». Quatre parties: Afrique noire et Madagascar; les îles créoles; la Méditerranée; d'Europe en Amérique. Comprend des choix bibliographiques. Index onomastique.

IV.4.B.11. SIMARD, Sylvain. *Mythe et reflet de la France. L'image du Canada en France, 1850-1914.* Ottawa, Presses de l'Université d'Ottawa (Collection «Cahiers du Centre de recherche en civilisation canadienne-française»), 1987, 440 p.

Introduction: en quête d'une image. Comprend cinq chapitres: des livres et des hommes; un beau voyage au Canada; exotisme littéraire; projections multiformes (information et propagande); permanence et rayonnement de l'image québécoise. Importante bibliographie: sources manuscrites et imprimées, ouvrages étudiés, journaux et périodiques. Index onomastique.

IV.4.B.12. DION, Robert. «*La France et nous* après la Seconde Guerre mondiale. Analyse d'une crise». *Voix et images*, XIII, 2 (hiver 1988): 292-303.

Retrace les principaux moments de la querelle entre des intellectuels français et québécois; décrit, «en termes sociologiques, les enjeux de cet affrontement – ce qui revient à faire apparaître l'imbrication des crises idéologique, littéraire et économique».

C. Anthologies

IV.4.C.1. VIATTE, Auguste. *Anthologie littéraire de l'Amérique francophone. Littératures canadienne, louisianaise, haïtienne, de la Martinique, de la Guadeloupe et de la Guyane.* Sherbrooke, Centre d'études des littératures d'expression française de l'Université de Sherbrooke, 1971, 519 p.

Retenant des textes parus entre 1800 et 1960, l'ouvrage se divise en quatre parties: littérature canadienne; littérature louisianaise; littérature haïtienne; littératures de la Martinique, de la Guadeloupe et de la Guyane. Ces parties se subdivisent en périodes et en genres. Écrivains classés par ordre chronologique. Le nom d'un auteur est suivi d'une bibliographie succincte. De brefs commentaires situent chacun des extraits reproduits. Un seul index noms propres et titres.

IV.4.C.2. *Littératures de langue française hors de France. Anthologie didactique.* Propos liminaire de Louis Philippart. Sèvres, Fédération internationale des professeurs de français, 1976, section VII, p. 425-528. Illustré.

Retient vingt-sept auteurs (de Jacques Cartier à Jacques Renaud). Extraits précédés de notices biobibliographiques.

NOTE: Sur la littérature québécoise et la francophonie, on se reportera aussi aux entrées suivantes: II.2.6. – II.3.12. – II.4.2. – III.3.B.1. – V.1.B.8. – VI.2.9. – VII.2.D.5.

V
L'IMPRIMÉ,
LA LANGUE

1. L'IMPRIMÉ

A. Corpus

a.) Bibliographie nationale

La Bibliothèque nationale du Québec a entrepris la constitution d'une bibliographie nationale rétrospective et courante répertoriant le «Laurentiana», c'est-à-dire les imprimés québécois ou relatifs au Québec. Cette bibliographie nationale comprend trois éléments: la bibliographie rétrospective antérieure à 1821, la bibliographie du Québec de 1821 à 1967 et la bibliographie courante depuis 1968, année de l'implantation du dépôt légal. La bibliographie nationale antérieure à 1821 est à toutes fins utiles terminée.

V.1.A.a.1. VLACH, Milada, avec la collaboration de Yolande Buono. *Laurentiana parus avant 1821. Catalogue de la Bibliothèque nationale du Québec.* Montréal, Bibliothèque nationale du Québec, 1976, xxvii-416-i-120 p.

Ce catalogue couvre un champ plus vaste que le titre qui va suivre, mais n'inclut que la collection de la BNQ. Ordre alphabétique d'auteurs ou de titres. Divers index: titres, noms, matières, illustrations, cartes et plans, lieux d'édition, imprimeurs, dates d'édition.

V.1.A.a.2. VLACH, Milada et Yolande BUONO. *Catalogue collectif des impressions québécoises 1764-1820.* Montréal, Bibliothèque nationale du Québec, 1984, xxxiii-251-195 p. [Disponible en anglais.]

Catalogue des imprimés québécois antérieurs à 1821 conservés dans les plus riches bibliothèques du Québec. Données statistiques, notices par ordre alphabétique de titres. Divers index: titres, noms, sujets, genres, lieux d'édition, imprimeurs, dates d'édition, provenances. Liste des ouvrages illustrés.

V.1.A.a.3. *Bibliographie du Québec 1821-1967.* Notices établies par le Bureau de la bibliographie rétrospective. Québec, Éditeur officiel du Québec, 1980. [Quinze tomes parus en septembre 1987, auxquels il faut ajouter, pour l'instant, l'ouvrage compilé par Henri-Bernard Boivin, décrit ci-dessous au n° V.1.A.a.4.]

Se situe entre la bibliographie rétrospective des imprimés antérieurs à 1821 et la bibliographie courante constituée depuis 1968 à la suite de la loi du dépôt légal. Il s'agit de tout imprimé paru de 1821 à 1967, à l'exclusion des publications en série, des monographies du secteur public, des cartes et des partitions musicales. À l'intérieur de catégories de classification identiques à celles qui sont utilisées pour la bibliographie courante (1968-...), présentation par ordre alphabétique d'auteurs ou de titres. Chaque groupe de mille notices traitées donne lieu à un volume ou à un jeu de microfiches, accompagné d'un index (auteurs, illustrateurs, éditeurs, imprimeurs, chronologique, lieux d'édition, sujets). Une fois achevé le traitement de quelque 90 000 notices, cette bibliographie rétrospective informatisée sera refondue. Elle a l'avantage, pour l'instant, de faire connaître les titres et auteurs «traités». On dispose de deux index cumulatifs: pour les tomes I à V et VI à XI.

V.1.A.a.4. *Notices en langue française du Canadian Catalogue of Books 1921-1949, avec index établi par Henri-Bernard Boivin.* Montréal, Bibliothèque nationale du Québec, 1975, ix-263-199 p. Illustré.

Présentation des ouvrages en langue française parus dans cette bibliographie courante – *Canadian Catalogue of Books* – antérieure à *Canadiana* décrit ci-dessous aux n°ˢ V.1.A.a.6 et V.1.A.a.7. Ordre chronologique annuel, puis par auteurs ou titres. Index. Depuis 1968, le *Laurentiana* est répertorié par le dépôt légal que décrit la *Bibliographie du Québec* (1968-...):

V.1.A.a.5. *Bibliographie du Québec. Liste des publications québécoises ou relatives au Québec établie par la Biblio-*

thèque nationale du Québec. Sans lieu, Gouvernement du Québec, Ministère des Affaires culturelles, depuis 1968. [Des index existent pour 1968-1973, 1974-1976, 1977-1981. À compter de 1982, l'index est annuel.]

Constitué à partir du dépôt légal, inventorie toute publication éditée au Québec, dans toutes les langues, éditée en français au Canada ou parue à l'étranger, si elle concerne le Québec. Inclut aussi, dans une partie spécifique, les publications du gouvernement du Québec, ainsi que les nouveaux périodiques et ceux dont la présentation a été modifiée. C'est donc la source la plus systématique, depuis 1968, pour identifier l'imprimé québécois. Index cumulatifs ou annuels.

La Bibliothèque nationale du Canada a aussi entrepris une bibliographie canadienne rétrospective pour la période 1867-1900; aucun ouvrage n'a encore paru. Quant au dépôt légal canadien (depuis 1952), il est compilé dans *Canadiana*:

V.1.A.a.6. *Canadiana 1950 et 1951*. Ottawa, Bibliothèque nationale du Canada, 1962, 258-88 p.

Catalogue des publications se rapportant au Canada. Suit le *Canadian Catalogue of Books 1921-1949*, décrit pour ses notices en langue française au n° V.1.A.a.4.

V.1.A.a.7. *Canadiana*. Ottawa, Bibliothèque nationale du Canada, depuis 1952. [Mensuel. Refonte annuelle. Des index existent pour 1950-1962, 1963-1967, 1968-1972. À compter de 1973, l'index est annuel.]

Tout imprimé se rapportant au Canada, y compris les publications du gouvernement du Canada. Ces dernières années, *Canadiana* a inventorié divers documents relatifs au Canada, tels que disques, films, etc.

h) Bibliographies rétrospectives

Tant et aussi longtemps que cette bibliographie nationale rétrospective ne sera pas achevée, il faudra recourir aux bibliographies rétrospectives partielles décrites ci-après.

V.1.A.b.1. *Canadiana imprimés avant 1900. Collection de microfiches.* Ottawa, Institut canadien de microreproductions historiques, sans date, listes 1 à 4 (1980-1984), 5, 6, 7.

Ordre alphabétique de titres ou d'auteurs. Les bibliothèques d'importance possèdent ce trésor d'imprimés canadiens antérieurs à 1900, souvent rarissimes, difficiles d'accès et maintenant disponibles sous forme de microfiches.

V.1.A.b.2. GAGNON, Philéas. *Essai de bibliographie canadienne. Inventaire d'une bibliothèque comprenant imprimés, manuscrits, estampes, etc. relatifs à l'histoire du Canada et des pays adjacents avec des notes bibliographiques.* 2 tomes.

A constitué le fonds initial de la fameuse salle Gagnon de la Bibliothèque de la Ville de Montréal.

Tome I. Québec, Imprimé pour l'auteur, 1895, x-711 p.

Inclut tout type d'imprimés. Présentation par sujets (agriculture, politique, chemins de fer, etc.), puis par ordre alphabétique d'auteurs ou de titres.

Tome II. *Ajoutés à la collection Gagnon, depuis 1895 à 1909 inclusivement, d'après les notes bibliographiques et le catalogue de l'auteur.* Montréal, Cité de Montréal, 1913, xiii-462 p.

Présentation identique à celle du premier tome. Se termine par un appendice au premier tome.

V.1.A.b.3. DIONNE, Narcisse-Eutrope. *Inventaire chronologique.* Québec, sans éditeur, 4 tomes et un supplément.

Tome I. *Livres, brochures, journaux et revues publiés en langue française dans la province de Québec, depuis l'établissement de l'imprimerie au Canada jusqu'à nos jours. 1764-1905.* 1905, 175-21 p.

Tome II. *Ouvrages publiés à l'étranger en diverses langues sur Québec et la Nouvelle-France, depuis la découverte du Canada jusqu'à nos jours. 1534-1906.* 1906, 155-vi p.

Tome III. *Livres, brochures, journaux et revues publiés en langue anglaise dans la province de Québec depuis l'établissement de l'imprimerie en Canada jusqu'à nos jours. 1764-1906.* 1907, 228 p.

Tome IV. *Cartes, plans, atlas relatifs à la Nouvelle-France et à la province de Québec. 1508-1908.* 1909, 124-vi p.

Livres, brochures, journaux et revues publiés en diverses langues dans et hors la province de Québec. Premier supplément. 1904-1912. 1912, 76 p.

Dans chaque tome, présentation chronologique par année, puis par ordre alphabétique d'auteurs ou de titres. Un seul index des noms et sujets.

V.1.A.b.4. *A Bibliography of Canadiana. Being Items in the Public Library of Toronto, Canada, Relating to the Early History and Development of Canada.* Edited by Frances M. Staton and Marie Tremaine. Toronto, The Public Library, 1934, 828 p.

Imprimés relatifs au Canada de 1534 à 1867 présentés par ordre chronologique de publication, puis par ordre alphabétique d'auteurs ou de titres. Index. Un premier *Supplement* paru en 1959 inclut les *Canadiana* acquis entre 1934 et 1959. Un second *Supplement* prévu en trois parties: antérieur à 1800, 1800-1849 et 1850-1867, n'est paru (1985) que pour les acquisitions depuis 1969 couvrant la période 1800-1849.

V.1.A.b.5. TREMAINE, Marie. *A Bibliography of Canadian Imprints 1751-1800.* Toronto. University of Toronto Press, 1952, xxvii-705 p.

Tout imprimé, y compris les feuilles volantes ou périodiques, publié au Canada de 1751 à 1800, présenté par ordre chronologique, puis alphabétique d'auteurs, de titres ou de sujets. Journaux et périodiques sont décrits aux p. 593-659. Des imprimeries sont décrites par province, puis par ville. Un seul index auteurs, titres, sujets et genres de publication.

V.1.A.b.6. HARE, John et Jean-Pierre WALLOT. *Les imprimés dans le Bas-Canada 1801-1810. Bibliographie analytique.* Montréal, Presses de l'Université de Montréal, 1967, xxiii-381 p.

Les imprimés de la décennie par ordre chronologique, puis alphabétique de titres ou d'auteurs. Une deuxième partie couvre les journaux. Notice sur les imprimeurs, table de concordance avec d'autres bibliographies rétrospectives. Index analytique.

V.1.A.b.7. *The Lawrence Lande Collection of Canadiana in the Redpath Library of McGill University.* A bibliography collected, arranged and annotated by Lawrence Lande. Montréal, The Lawrence Lande Foundation for Canadian Historical Research, 1965, xxxv-301 p. Illustré.

Description d'une riche collection de Canadiana à l'Université McGill. Trois parties: basic Canadiana, Canadiana on the West and North, cultural and supplementary Canadiana. Quatre index: documents gouvernementaux, auteurs, titres et sujets. Comporte un supplément:

LANDE, Lawrence Montague. *Rare and Unusual Canadiana.* First Supplement to the Lande Bibliography. Montréal, McGill University (Collection «Lawrence Lande Foundation for Canadian Historical Research»), 1971, xx-779 p.

Un seul ordre alphabétique auteurs, titres et sujets. Index.

V.1.A.b.8. HAMELIN, Jean, André BEAULIEU et Gilles GALLICHAN. *Brochures québécoises 1764-1972.* Québec, Ministère des Communications, Direction géné-

102

rale des publications gouvernementales, 1981, vii-598 p.

Les imprimés de moins de 50 pages – et parfois de plus de 50 pages – présentés par ordre chronologique de publication, puis par ordre alphabétique de titres ou d'auteurs. Deux index: auteurs et sujets.

V.1.A.b.9. DUCHARME, Jacques, Élisabeth DUCHARME, Gilles JANSON et Micheline JANSON. *Inventaire des brochures conservées au service des Archives 1771-1967.* Montréal, Service des Archives de l'Université du Québec à Montréal, juin 1978, 431 p.

Imprimés surtout canadiens de moins de 50 pages présentés par ordre d'acquisition. Index chronologique, index des auteurs.

V.1.A.b.10. *Catalogue. Canadian Pamphlet Collection/ Collection des brochures canadiennes.* Toronto, York University Libraries, 1984, 3 tomes.

Tome I. *Authors. Titles.* 306 p.

Tome II. *Subjects.* 496 p.

Tome III. *Dates.* Non paginé.

NOTE: Sur le livre d'artiste, voir: II.1.B.4.

c) La presse et les périodiques

V.1.A.c.1. *Périodiques canadiens sur microfilms. Liste des microfilms disponibles au Québec dans les bibliothèques universitaires et à la Bibliothèque nationale.* Sous la direction de Jean-Pierre Chalifoux. Montréal, Ministère des Affaires culturelles du Québec, 1970, 89 p.

Classé selon l'ordre alphabétique des titres. Mentionne également le lieu d'édition, les bibliothèques où l'on trouve les périodiques et les dates couvertes par les microfilms.

V.1.A.c.2. BEAULIEU, André, Jean HAMELIN *et al. La presse québécoise des origines à nos jours.* Presses de l'Université Laval, 8 tomes parus. [Tomes suivants à paraître.]

Tome I. *1764-1859.* Québec, 1973, xi-268 p.

Tome II. *1860-1879.* Québec, 1975, xv-350 p.

Tome III. *1880-1895.* Québec, 1977, xv-421 p.

Tome IV. *1896-1910.* Québec, 1979, xv-417 p.

Tome V. *1911-1919.* Québec, 1982, xv-348 p.

Tome VI. *1920-1934.* Sainte-Foy, 1984, xv-379 p.

Tome VII. *1935-1944.* Sainte-Foy, 1985, xvii-374 p.

Tome VIII. *1945-1954.* Sainte-Foy, 1987, xviii-370 p.

Pour chaque tome: introduction, ordre chronologique et alphabétique de titres de journaux et de revues, durée et périodicité, localisation des originaux et des microfilms, historique du journal ou de la revue, bibliographie des études sur ce titre, index onomastique. [Il existe un index cumulatif des tomes I à VII (1987, xxiv-508 p.).]

V.1.A.c.3. *Catalogue de la Bibliothèque nationale du Québec: revues québécoises.* Montréal, Bibliothèque nationale du Québec, 1981, 3 tomes.

Tomes I et II. *Notices.* xiii-690 p.

Revues, dont le format ne dépasse pas 28 centimètres, faisant partie de la collection de la Bibliothèque nationale. Ordre alphabétique des titres. Renseignements divers et état de la collection de la BNQ.

Tome III. *Index.* ix-381 p.

Deux index: auteurs, titres et vedettes secondaires; vedettes-matières.

V.1.A.c.4. «Bibliographie». *Voix et images,* X, 2 (hiver 1985): 173-176.

Liste des périodiques littéraires et culturels du Québec depuis 1954.

NOTE: Pour les index de revues, on se reportera à la bibliographie de D.M. Hayne (n° II.1.A.1) et surtout au répertoire de Beaulieu et Hamelin (n° V.1.A.c.2). Cette dernière source n'indique pas, cependant, les index suivants:

V.1.A.c.5. *Les revues nationales et les idéologies au Québec. L'Action française* et *L'Action canadienne-française.* Sous la direction de James D. Thwaites. Québec, Département des relations industrielles, Faculté des sciences sociales, Université Laval, 1982, v-337 p.

Comprend deux parties. On mentionne d'abord les titres d'articles selon l'ordre chronologique de leur parution; une annotation fournit l'essentiel de chaque texte. Vient ensuite l'index analytique, un système de numéros ou de renvois permettant de se reporter à l'article répertorié dans la première partie.

V.1.A.c.6. *La Barre du jour. La Nouvelle barre du jour. Index général 1965-1985. Numéros 1 à 150.* Montréal, La Nouvelle barre du jour, 1985, 118 p.

Contient deux index: auteurs et rubriques. Donne également la liste des numéros spéciaux.

V.1.A.c.7. *L'index du journal Le Devoir.* Québec, Centre de documentation, Bibliothèque de l'Université Laval. [Publié de 1966 à 1971 inclusivement.]

Index de l'actualité à travers la presse écrite. Québec, Centre de documentation, Bibliothèque de l'Université Laval. [À partir de 1972.]

À compter de 1973, dépouille, en plus du *Devoir,* le *Soleil* et *la Presse.*

V.1.A.c.8. TREMBLAY, Jean-Pierre. *Bibliographie québécoise: roman, théâtre, poésie, chanson, inventaire des*

Écrits du Canada français. Cap-Rouge, Éduco média, 1973, p. 227-252.

Inventaire des numéros 1 à 35.

V.1.A.c.9. HOGUE, Gisèle. *Liberté*. *Index des noms (1959-1973)*. 128 p.

Cet index comprend: le nom de l'auteur et le titre de son article (entrées auteurs-titres) inscrits en italique; le nom des personnes citées, mentionnées ou analysées (entrées auteurs cités) – ces entrées étant intégrées dans l'index selon un seul ordre alphabétique.

BOURASSA, Yolande et Carole MERCIER. *Index alphabétique des titres parus dans «Livres et auteurs québécois» 1970-1980*. Voir ci-dessus n° II.1.A.4.

HARE, John. «Index du *Nigog*». Voir ci-dessus n° II.4.6.

V.1.A.c.10. ROUSSEAU, Guildo. *Index littéraire de L'Opinion publique (1870-1883)*. Trois-Rivières, Université du Québec à Trois-Rivières, Centre de documentation en littérature et théâtre québécois (Collection «Guides bibliographiques»), 1978, 107 p.

Indexé par thèmes (histoire et vie littéraire, auteurs publiés et analysés) et par ordre alphabétique d'auteurs. Comporte également un index onomastique.

V.1.A.c.11. BONENFANT, Joseph. *Index de Parti pris (1963-1968)*. Sherbrooke, Centre d'étude des littératures d'expression française, Université de Sherbrooke, 1975, 116 p.

Deux index: des noms propres et des auteurs d'articles. Deux listes chronologiques: des illustrations et des articles.

BERTHELOT, Marcel, Marielle COULOMBE et Charles POMMET. «La revue Parti pris: un guide analytique». *Histoire des travailleurs québécois*. Bulletin RCHTQ, 1-3 (1980): iv-149 p.

Dépouillement exhaustif des articles. Deux classements: par auteurs et par sujets. Dans le premier cas, un résumé de l'article suit l'adresse bibliographique. L'ouvrage se termine par un index analytique.

V.1.A.c.12. *Tables générales des 53 premiers volumes de la Revue canadienne 1864 à 1907.* Montréal, Compagnie de publication de la Revue canadienne, sans date, 142 p.

Trois classements: par ordre alphabétique de titres, d'auteurs et de sujets d'illustration.

NOTE: Sur les périodiques, on se reportera aussi aux entrées suivantes: II.1.A.1. – II.1.A.3. – II.1.B.2. – II.3.15. – II.4.5 – II.4.6. – II.4.12. – II.4.13. – II.6.1. – III.2.B.9. – III.5.A.2. – III.9.A.2. – III.11.B.2. – IV.1.A.4. – IV.1.B.1. – IV.1.B.2. – IV.1.B.4. – IV.2.A.1. – IV.3.A.4. – IV.4.B.3. – IV.4.B.8. – V.1.A.a.5. – V.1.A.b.3. – V.1.A.b.5. – V.1.A.b.6. – VI.1.A.3. – VI.1.B.4. – VI.3.C.1. – VI.3.E.2. – VI.3.E.3. – VII.2.D.5.

B. Études

V.1.B.1. GAUVIN, Lise. «Les revues littéraires québécoises de l'université à la contre-culture». *Études françaises*, XI, 2 (mai 1975): 161-183.

Étudie des revues littéraires qui s'orientent vers l'information, la critique ou la création, qui s'intéressent aux rapports entre littérature et idéologie ou qui se présentent comme des magazines culturels ou contre-culturels.

V.1.B.2. *L'imprimé au Québec. Aspects historiques (18ᵉ-20ᵉ siècles).* Sous la direction d'Yvan Lamonde. Québec, Institut québécois de recherche sur la culture (Collection «Culture savante»), 1983, 368 p.

Fait le bilan des tendances, méthodes et besoins dans le domaine de l'histoire de l'imprimé, tant sur le plan de la production, de l'exploitation que de la consommation. Importante bibliographie: généralités, œuvres, aspects particuliers (dont diffusion, histoire de l'imprimerie, imprimeurs, typographie).

V.1.B.3. «Revues littéraires du Québec». *Revue d'histoire littéraire du Québec et du Canada français,* 6 (été-automne 1983): 9-98.

Les dix articles se proposent de faire connaître des revues jalonnant l'histoire littéraire, de les lier à leur époque et de signaler en quoi elles contribuent à l'évolution des lettres au Québec. Sont étudiés *les Soirées canadiennes, le Foyer canadien, Nouvelles soirées canadiennes, Canada-Revue, le Réveil, l'Ordre, Regards, Amérique française, Gants du ciel, la Barre du jour, la Nouvelle barre du jour, Stratégies, Chroniques,* de même que des revues de science-fiction.

V.1.B.4. ALLARD, Pierre, Pierre LÉPINE et Louise TESSIER. *Statistiques de l'édition au Québec 1968-1982.* BRAULT, Jean-Rémi. *Réflexions sur l'édition au Québec.* Montréal, Bibliothèque nationale du Québec, 1984, 200 p. [Devient une publication annuelle de la BNQ à partir de 1983.]

Présenté sous forme de tableaux accompagnés de commentaires. Témoigne de la production des monographies (livres et brochures) et des nouvelles publications en série (journaux d'information générale et autres périodiques) déposées au cours de l'année.

V.1.B.5. Groupe de recherche sur l'édition littéraire au Québec. *L'édition littéraire au Québec de 1940 à 1960.* Sous la direction de Richard Giguère et Jacques Michon. Sherbrooke, Département d'études françaises, Faculté des arts, Université de Sherbrooke (Collection «Cahiers d'études littéraires et culturelles»), 1985, x-217 p.

Études portant sur des maisons d'édition apparues au cours des années 1940: Erta, Fides, Valiquette, Variétés. Importante bibliographie consacrée à l'édition de 1940 à 1960. Index des éditeurs.

V.1.B.6. PARKER, George L. *The Beginnings of the Book Trade in Canada.* Toronto, Buffalo, London, University of Toronto Press, 1985, xxvii-346 p. Illustré.

Analyse de l'influence des développements technologiques sur l'imprimerie et les autres secteurs des communications, changements ayant favorisé l'alphabétisation. Description de la complexité croissante du commerce du livre dans les grandes villes jusqu'au dernier quart du XIXᵉ siècle, alors que Toronto devient le centre de l'édition de manuels et de la distribution du livre pour tout le Canada. L'ouvrage s'intéresse au livre québécois et canadien-anglais. Index des auteurs, titres et sujets.

V.1.B.7. MARTIN, Claude. «Comme des petits pains chauds. Essai d'économie industrielle du best-seller en français au Québec». *Communication information,* VII, 3 (automne 1985): 107-127.

Une analyse des listes de best-sellers du type roman ou biographie parus en français au Québec révèle certains éléments de la structure du marché et des stratégies des entreprises. Plusieurs tableaux et annexes.

V.1.B.8. «L'édition littéraire». *Présence francophone,* 28 (1986): 1-117.

Amorce une réflexion sur les moyens de production et de diffusion des littératures francophones. Comprend maintes bibliographies (p. 19, 30-32, 40-44, 56, 78, 117).

V.1.B.9. *Readings in Canadian Library History.* Edited by Peter F. McNally. Ottawa, Canadian Library Association, 1986, vi-258 p. Illustré.

Cinq parties: guides de la documentation; méthodologie; bibliothèques publiques; perspectives diverses; biographie. Étudie les bibliothèques francophones et anglophones. Bibliographies.

V.1.B.10. McNALLY, Peter F. «The Historiography of Canadian Library History, or Mapping the Mind of the Canadian Past». *Journal of Library History, Philosophy & Comparative Librarianship*, XXI, 2 (printemps 1986): 445-455.

Étude de l'histoire des bibliothèques au Canada en relation avec divers facteurs. Considère aussi bien les bibliothèques francophones qu'anglophones. Éléments bibliographiques contenus dans les notes.

NOTES: La *Bibliographie de la critique de la littérature québécoise dans les revues des XIXe et XXe siècles*, décrite ci-dessus au n° II.1.A.3, contient aux p. 135-151 une section intitulée «La presse périodique», qui se subdivise en études générales et particulières.

Un numéro de *Voix et images* analyse quatre revues savantes. Voir ci-dessous le n° VI.1.A.3.

Les chercheurs intéressés par ces questions sont regroupés dans l'Association québécoise pour l'étude de l'imprimé (AQÉI).

2. LA LANGUE

A. Bibliographies

V.2.A.1. DULONG, Gaston. *Bibliographie linguistique du Canada français*. Québec, Presses de l'Université Laval, et Paris, Librairie C. Klincksieck (Série «E: Langue et littérature françaises au Canada»), 1966, xxxii-167 p.

Reprend la *Bibliographie du parler français au Canada* de James Geddes et Adjutor Rivard. Recense à peu près tout ce qui a été écrit sur le français canadien depuis le début jusqu'en 1965. Publications classées dans l'ordre alphabétique. Deux index: auteurs et analytique.

V.2.A.2. *Bibliographie des chroniques de langage publiées dans la presse au Canada. Matériaux pour l'étude du français au Canada.* Sous la direction d'André Clas. Montréal, Observatoire du français moderne et contemporain, Département de linguistique et philologie, Université de Montréal, 2 tomes.

Tome I. *1950-1970.* Sans date, xxix-466 p.

Tome II. *1879-1949.* 1976, xxxvii-1008 p.

Dans les deux volumes, la bibliographie suit ce plan: problèmes généraux; prononciation et graphie; lexique; syntaxe. Liste des publications dépouillées. Quatre index: auteurs de chroniques, mots, auteurs et organismes cités.

V.2.A.3. GAGNON, Claude-Marie. *Bibliographie critique du joual 1970-1975.* Québec, Institut supérieur des sciences humaines, Université Laval (Collection «Cahiers de l'ISSH»), 1976, 117 p.

Se divise en trois parties: livres, articles de revues et de journaux – classés dans l'ordre chronologique. Des commentaires accompagnent chaque notice. Index des noms d'auteurs.

V.2.A.4. SABOURIN, Conrad et Rolande LAMARCHE. *Le français québécois. Bibliographie analytique* (édition 1979). Montréal, Service des publications, Direction des communications, Office de la langue française (Collection «Langues et sociétés»), 1979, xv-329 p.

Les références que contient cette bibliographie, classée selon l'ordre alphabétique d'auteurs, ont été placées sur supports informatiques et traitées par ordinateur. Index des descripteurs.

B. Glossaires

V.2.B.1. CLAPIN, Sylva. *Dictionnaire canadien-français ou Lexique-glossaire des mots, expressions et locutions ne se trouvant pas dans les dictionnaires courants et dont l'usage appartient surtout aux Canadiens-français avec de nombreuses citations ayant pour but d'établir les rapports existant avec le vieux français, l'ancien et le nouveau patois normand et saintongeais, l'anglais, et les dialectes des premiers aborigènes. Reproduction de l'édition originale de 1894.* Québec, Presses de l'Université Laval (Collection «Langue française au Québec»), 1974, xlvi-389 p.

En plus du dictionnaire proprement dit, cet instrument de travail comprend deux listes: des ouvrages consultés et cités; des substantifs employés le plus communément au Canada et groupés par catégories.

V.2.B.2. DIONNE, N.-E. *Le parler populaire des Canadiens français ou Lexique des canadianismes, acadianismes, anglicismes, américanismes, mots anglais les plus en usage au sein des familles canadiennes et acadiennes françaises, comprenant environ 15 000 mots et expressions avec de nombreux exemples pour mieux faire comprendre la portée de chaque mot ou expression.* Québec, Presses de l'Université Laval (Collection «Langue française au Québec»), 1974, 11-xxiv-671 p.

Reproduit l'édition originale de 1909. Contient une liste des ouvrages mis à profit.

V.2.B.3. Société du parler français au Canada. *Glossaire du parler français au Canada. Contenant: 1. les mots et locutions en usage dans le parler de la province de Québec et qui ne sont pas admis dans le français d'école; 2. la définition de leurs différents sens, avec des exemples; 3. des notes sur leur provenance; 4. la prononciation des mots étudiés.* Québec, Presses de l'Université Laval, 1968, xix-709 p. – [Réimpression de l'édition publiée à Québec par l'Action sociale en 1930.]

À la fin de chaque article sont placées des notes (que les rédacteurs ont recueillies dans l'ancien français, les parlers provinciaux, la langue du bon usage, le franco-canadien, l'anglais d'Europe ou d'Amérique) sur l'emploi ou la provenance de la locution ou du mot retenu. Bibliographie.

V.2.B.4. SEUTIN, Émile et André CLAS. *Richesses et particularités de la langue écrite du Québec.* Montréal, Observatoire du français contemporain, Département de linguistique et philologie, Université de Montréal, 8 tomes. [Pagination continue. À partir du deuxième fascicule, Manon BRUNET se joint aux auteurs.]

Tome I. 1979, iv-147 p.

Tome II. *Lettre B.* 1980, p. iv-148-479.

Tome III. *Lettre C.* 1981, p. 480-880.

Tome IV. *Lettres D-E-F.* 1981, p. 881-1232.

Tome V. *Lettres G-H-I-J-K-L.* 1981, p. 1233-1477.

Tome VI. *Lettres M-N-O-Pl.* 1982, p. 1478-1826.

Tome VII. *Lettres Pl-Q-R-Sm.* 1982, p. 1827-2155.

Tome VIII. *Lettres Sn-T-U-V-W-Y-Z.* 1982, p. 2156-2465.

Dictionnaire essentiellement synchronique (1940-1975) de langue et d'exemples. Le premier fascicule est assorti de deux listes: des ouvrages dépouillés (plus de 400) et des ouvrages de référence.

V.2.B.5. DULONG, Gaston et Gaston BERGERON. *Le parler populaire du Québec et de ses régions voisines. Atlas linguistique de l'Est du Canada.* Québec, Ministère des Communications (Collection «Études et dossiers»), 1980, 10 tomes.

Tome I. *Présentation et Guide de l'usager*. xiii-124 p.

Tomes II à VIII. Résultats complets des enquêtes linguistiques ALEC.

Tome IX. *Index. A-Guettait*. ix-435 p.

Tome X. *Index. Guette-Zyeuter*. P. 436-872.

Centré sur le parler relatif à la vie courante et traditionnelle (habitation, vêtement, nourriture, etc.).

V.2.B.6. CLAS, André et Émile SEUTIN. *«J'parle en tarmes». Dictionnaire de locutions et d'expressions figurées du Québec*. Montréal, Groupe de recherche en sémantique, lexicologie et terminologie, Université de Montréal, 1985, 334 p.

Les articles de ce dictionnaire proviennent en grande partie de l'ouvrage *Richesses et particularités de la langue écrite au Québec*: voir ci-dessus le n° V.2.B.4.

V.2.B.7. *Trésor de la langue française au Québec*.

L'équipe du projet «Trésor de la langue française au Québec» (Université Laval) prépare un *Dictionnaire du français québécois* à paraître. Voir:

Dictionnaire du français québécois. Description et histoire des régionalismes en usage au Québec depuis l'époque de la Nouvelle-France jusqu'à nos jours incluant un aperçu de leur extension dans les provinces canadiennes limitrophes. Volume de présentation. Sous la direction de Claude Poirier. Sainte-Foy (Québec), Presses de l'Université Laval, 1985, xli-169 p.

Comprend un échantillon de 74 articles. Importante bibliographie. Un index des mots ou syntagmes.

C. Étude

V.2.C.1. GAUVIN, Lise. «Problématique de la langue d'écriture au Québec, de 1960 à 1975». *Langue française*, 31 (septembre 1976): 74-90.

Pose que «'langagement' des écrivains pour telle parlure populaire, le canayen, le joual, ou le québécois, non seulement a tout à voir avec la littérature [...] mais stigmatise en quelque sorte la problématique littéraire telle que vécue en Terre Québec depuis le XIXe siècle».

NOTE: Sur la langue, on se reportera aussi aux entrées suivantes: I.2.4. – II.3.3. – II.3.7. – II.3.9. – II.3.10. – II.4.12. – III.1.B.5. – III.2.B.8. – III.4.B.2. – IV.1.A.1. – IV.2.A.1. – IV.4.B.2. – IV.4.B.10. – VII.1.C.1. – VII.2.A.1.

VI
LA RECHERCHE

1. ÉTAT DE LA RECHERCHE

A. Bilans

VI.1.A.1. *Recherche et littérature canadienne-française.* Sous la direction de Paul Wyczynski, Jean Ménard et John Hare. Ottawa, Université d'Ottawa (Collection «Cahiers du Centre de recherche en littérature canadienne-française»), 1969, 297 p. – Actes d'un colloque tenu les 25 et 26 octobre 1968.

Entre autres problèmes soulevés: recherche et littérature; recherche et littérature canadienne-française dans les universités canadiennes de langue française et anglaise; recherche, création littéraire et publication.

VI.1.A.2. *Situation de l'édition et de la recherche (littérature québécoise ou canadienne-française). Travaux du comité de recherche francophone de l'ALCQ.* Sous la direction de René Dionne. Ottawa, Université d'Ottawa (Collection «Documents de travail du Centre de recherche en civilisation canadienne-française»), mai 1978, 182 p.

Contenu de l'ouvrage: introduction, études bibliographiques, œuvres de la Nouvelle-France, roman, poésie, théâtre, récit bref, essai, littérature acadienne, recherche.

VI.1.A.3. «Études/Actes». *Voix et images*, XII, 2 (hiver 1987): 265-312.

Les sept articles pourraient s'intituler «Littérature et recherche universitaire: la question des revues». Ils tentent, à partir d'une analyse d'*Études littéraires*, d'*Études françaises*, de la *Revue d'histoire littéraire du Québec et du Canada français*, de *Voix et images*, de dégager les grands courants qui ont marqué les études littéraires au Québec depuis une vingtaine d'années: histoire littéraire, édition critique, structuralisme, structuralisme génétique, sociologie littéraire, socio et psychocritique, sémiotique.

119

NOTE: Pour les bilans, on se reportera aussi aux entrées suivantes: II.1.A.1. – II.3.2. – II.3.12. – III.6.B.2. – IV.2.B.6. – IV.3.A.4.

B. Thèses

VI.1.B.1. CHALIFOUX, Jean-Pierre. *Bio-bibliographies et bibliographies. Liste des travaux bibliographiques des étudiants en bibliothéconomie de l'Université de Montréal.* Montréal, Ministère des Affaires culturelles du Québec, 1970, 60 p.

Couvre les années 1938-1960. Comprend trois listes: pseudonymes, biobibliographies par ordre alphabétique d'auteurs étudiés, bibliographies par ordre alphabétique de titres. Index des étudiants cités. Les bibliothèques de Montréal et de l'Université de Montréal, de même que la Bibliothèque nationale du Québec, possèdent des exemplaires sur microfilm d'une partie de ces compilations bibliographiques.

VI.1.B.2. NAAMAN, Antoine, avec la collaboration de Léo A. Brodeur. *Répertoire des thèses littéraires canadiennes de 1921 à 1976.* Sherbrooke, Naaman (Collection «Bibliographies»), 1978, 453 p.

Comprend deux parties: sujets généraux, classés par domaines et par genres; thèses sur les auteurs de tous les pays, classées par ordre alphabétique des auteurs étudiés. Cinq index: auteurs des thèses, directeurs des thèses, auteurs étudiés, analytique des sujets de thèses, des œuvres.

VI.1.B.3. COHEN, Yolande, avec la collaboration d'Andrée Boucher. *Les thèses universitaires québécoises sur les femmes 1921-1981.* Québec, Institut québécois de recherche sur la culture (Collection «Instruments de travail»), 2ᵉ édition revue, corrigée et augmentée, 1983, 121 p.

Les littéraires se reporteront en particulier à la première partie de la bibliographie (modèles littéraires, p. 41-51), ainsi qu'à la dernière (femmes dans l'histoire, p. 97-100). Index des auteurs.

VI.1.B.4. GABEL, Gernot U. *Canadian Literature: an Index to Theses Accepted by Canadian Universities 1925-1980.* Köln, Gemini, 1984, 157 p.

Comprend deux parties: histoire littéraire et critique (études générales, poésie, récit, théâtre, périodiques); auteurs. Classification par genres, puis par ordre alphabétique des auteurs de thèses dans la première partie; par auteurs étudiés et, sous le nom de chacun d'eux, par ordre alphabétique des auteurs de thèses. Deux index: auteurs de thèses; sujets de thèses.

NOTES: La revue *Livres et auteurs canadiens/québécois* (voir ci-dessus le n° II.1.A.4) publie dans ses livraisons annuelles de 1961 à 1972 une liste des thèses de lettres soutenues au cours de l'année dans quelques universités. À partir de 1973, cette liste devient plus systématique et plus étendue.

Faute d'un répertoire systématique des thèses en littérature québécoise pour la période postérieure à 1976, il est important, si l'on veut suivre le développement récent de la recherche, de consulter les fichiers de thèses et de mémoires dans les différentes universités, notamment ceux des thèses et mémoires en lettres, linguistique et bibliothéconomie. On consultera aussi *Canadian Theses*, publication annuelle de la Bibliothèque nationale du Canada depuis 1960.

Sur les thèses, on se reportera aussi aux entrées suivantes: II.1.A.1. – III.2.A (début). – III.5.A.1. – IV.1.A.1. – VI.1.A.2. – VI.2.6. – VI.3.E.1. – VII.2.D.5.

C. Chercheurs

VI.1.C.1. DIONNE, René. *Répertoire des professeurs et chercheurs (Littérature québécoise et canadienne-française).* Sherbrooke, Naaman (Collection «Bibliographies»), 2ᵉ édition revue et augmentée, 1980, 119 p.

Dénombre 195 personnes, fait état de leur carrière et de leurs principales publications.

NOTE: Sur les chercheurs, on se reportera aussi au nᵒ III.9.A.2.

2. REVUES SAVANTES

(Pour chacune des revues, présentées ici selon l'ordre alphabétique, nous donnons les renseignements suivants: titre actuel, année de la première parution sous ce titre, titre précédent s'il y a lieu; institution qui publie; périodicité; champ et contenu de la revue; index.)

VI.2.1. *L'Annuaire théâtral* (ne paraît qu'une fois en 1908, puis renaît en 1985.) Société d'histoire du théâtre du Québec. Semestriel depuis 1987 (printemps, automne). Se consacre à la recherche sur l'activité théâtrale au Québec et son histoire. Comprend des articles de fond et une chronique: «Notes de recherche».

VI.2.2. *Canadian Literature/Littérature canadienne* (été 1959). Université de Colombie Britannique. Trimestriel. Critique et comptes rendus. Numéros thématiques. Études, poèmes, essais et notes de lecture.

Index: CLEVER, Glenn. *Revised and Updated Index to the Periodical Canadian Literature. Nᵒˢ 1-62.* Ottawa, Golden Dog Press, 1975, i-195 p. [Classe les auteurs étudiés et les sujets généraux selon un seul ordre alphabétique.]

VI.2.3. *Canadian Review of Comparative Literature/Revue canadienne de littérature comparée* (hiver 1974). Organe de l'Association canadienne de littérature comparée. Trimestriel (hiver, printemps, été, automne). Publie des articles sur l'histoire internationale de la littérature, les méthodes des sciences littéraires et les relations de la littérature avec d'autres sphères d'expression humaine. Publie à l'occasion des numéros thématiques. Un numéro annuel s'intitule «Revue des revues». Il comprend les rubriques suivantes: histoire et relations littéraires; théorie littéraire et méthodes d'études littéraires; la littérature et les autres arts; index des auteurs d'articles; index des matières. Depuis 1982, le 4e numéro contient une table annuelle des matières.

VI.2.4. *Cultures du Canada français* (1984). Succède au *Bulletin du Centre de recherche en civilisation canadienne-française* (décembre 1970). Centre de recherche en civilisation canadienne-française de l'Université d'Ottawa. Annuel. Revue multidisciplinaire (littérature, histoire, linguistique, sociologie, arts) consacrée à l'avancement de la recherche sur le Canada français. Études. Chroniques (la vie du Centre, ses archives).

VI.2.5. *Études françaises* (février 1965). Département d'études françaises de l'Université de Montréal. Trois fois l'an (printemps, automne, hiver). Étudie diverses questions qui mettent en rapport les arts et les sciences humaines, le discours et l'écriture. Numéros thématiques (études, entrevue, bibliographie).

Index: LAQUERRE, Raymond-Louis. *Études françaises. Index 1965-1984.* Montréal, Presses de l'Université de Montréal, 1986, 77 p. [Contient notamment les rubriques suivantes: auteurs d'articles; auteurs de textes de création et de textes classiques; comptes rendus par titres d'ouvrages; sujets et thèmes, dont les titres; auteurs étudiés.]

VI.2.6. *Études littéraires* (avril 1968). Faculté des lettres de l'Université Laval. Trois fois l'an (printemps-été, automne, hiver). Numéros thématiques. Documents. Comptes rendus.

Index: CARRIER, Denis. *Études littéraires. Index (1968-1983)*. Québec, Université Laval, 1984, 78 p. [Comprend les index suivants: chronologique (liste chronologique et numérotée des articles); des documents; des comptes rendus; des thèses soutenues; des auteurs étudiés; des collaborateurs.]

VI.2.7. *Littératures* (1988). Département de langue et littérature françaises de l'Université McGill. Périodicité irrégulière. Publie des travaux de littérature française, québécoise ou comparée, ainsi que des documents.

VI.2.8. *Meta* (mars 1966). Continue le *Journal des traducteurs* (octobre 1955). Département de linguistique et de philologie de l'Université de Montréal. Trimestriel (mars, juin, septembre, décembre). Organe d'information et de recherche dans les domaines de la traduction, de la terminologie et de l'interprétation. Numéros thématiques.

Index: *Meta. Index cumulatif 1955-1980*. Montréal, Presses de l'Université de Montréal, 1982, viii-207 p. [Comprend trois index: des noms d'auteurs des diverses rubriques de la revue; français des mots et sujets traités; anglais des mots et sujets traités.]

VI.2.9. *Présence francophone* (automne 1970). Département d'études françaises de l'Université de Sherbrooke. Semestriel (printemps, automne). Revue internationale de langue et littérature. Numéros thématiques. Études de langue et de littérature. Comptes rendus et notes de lecture.

Index: «Index de la revue *Présence francophone*. Nᵒˢ 1-8 (1970-1974)». *Présence francophone*, 9 (automne 1974): 181-200. [Précédé de généralités, l'index se divise ainsi: la matière selon une classification géographique, auteurs d'ouvrages de création, collaborateurs.]; RANCOURT, Marcel. «Index de *Présence francophone* (1970-1982)». *Présence francophone*, 25 (automne 1982): 70 p. [Comprend les index suivants: des auteurs d'articles, des titres d'articles, des auteurs étudiés, des œuvres étudiées, des articles géné raux.]

VI.2.10. *Protée* (décembre 1970). Département des arts et lettres de l'Université du Québec à Chicoutimi. Trois fois l'an. Revue universitaire dans le champ diversifié de la sémiotique. Numéros thématiques. Documents et articles divers. Chroniques. Comptes rendus.

VI.2.11. *Revue de l'Université d'Ottawa/University of Ottawa Quarterly* (1931). Université d'Ottawa. Trimestriel. Revue multidisciplinaire (histoire, philosophie, sociologie, psychologie, littérature). Numéros thématiques. Études.

Index: *Table générale des années*. Ottawa, Université d'Ottawa, sans date. Tome I. *1931 à 1940*. 151 p.; Tome II. *1941 à 1950*. 136 p.; Tome III. *1951 à 1960*. 117 p.; Tome IV. *1961 à 1970*. 94 p. [Chaque index se divise ainsi: articles de fond, actualités, chroniques, parties documentaires; bibliographie (comptes rendus bibliographiques).]

VI.2.12. *Revue québécoise de linguistique* (1981). Succède au *Cahier de linguistique* (1971). Département de linguistique de l'Université du Québec à Montréal. Semestriel (avril, novembre). Se consacre à la linguistique générale (descriptive et théorique), ainsi qu'aux études spécifiquement québécoises. Numéros thématiques. Études, notes et remarques, comptes rendus, ouvrages reçus et colloques.

VI.2.13. *Theatre History in Canada/Histoire du théâtre au Canada* (printemps 1980). Centre d'études supérieures de théâtre de l'Université de Toronto et Département d'études dramatiques de l'Université Queen's à Kingston. Semestriel. Études, comptes rendus, forum.

VI.2.14. *Voix et images* (septembre 1975). Succède à *Voix et images du pays* (1967) qui a lui-même succédé aux *Cahiers de Sainte-Marie* (mai 1966). Département d'études littéraires de l'Université du Québec à Montréal. Trois fois l'an (automne, hiver, printemps). Étudie différents sujets relatifs à la littérature québécoise. Dossier (études, entrevue, bibliographie). Chroniques. Notes bibliographiques (livres et revues). Livres reçus. Le numéro du printemps contient habituellement la table des matières du volume.

Index: «Voix et images du pays». *Voix et images*, I, 1 (septembre 1975): 143-150. – La compilation rend également compte du *Cahier de Sainte-Marie* (n° 1) intitulé «Littérature canadienne». [Se divise ainsi: auteurs étudiés, sujets d'intérêt général étudiés, textes littéraires inédits.]; *Voix et images (1975 1983)*. Produit par le service de graphisme de l'Université du Québec à Montréal, octobre 1983, non paginé. [Recueil des sommaires de la revue depuis sa parution jusqu'au numéro de l'automne 1983.]; HÉBERT, Pierre et Bill WINDER. *Index-thesaurus 1967-1987. Vingt ans de recherche en littérature québécoise*. Montréal, Service des publications, Université du Québec à Montréal, 1987, 226 p. [Comprend un index-repère de *Voix et images du pays* (1967-1975) et de *Voix et images* (1975-1986), un index analytique et un index des rubriques.]

3. LIEUX

A. Bibliothèques

On trouve au Québec, outre les bibliothèques universitaires, quelques grandes bibliothèques de Laurentiana et de Canadiana. À Montréal: la Bibliothèque nationale du Québec, dont les acquisitions remontent à 1844 et qui bénéficie du dépôt légal depuis 1968; la salle Gagnon de la Bibliothèque de la Ville de Montréal. Toutes deux sont des bibliothèques de référence, de consultation sur place.

À Québec: la bibliothèque de l'Assemblée nationale et celle du Séminaire de Québec, deux autres bibliothèques de référence.

Des collections d'importance à peu près équivalente se trouvent à Ottawa, à la Bibliothèque nationale du Canada, et à Toronto, à la bibliothèque de l'Université de Toronto et à la Toronto Public Library.

À l'étranger, les centres de documentation des délégations générales du Québec, des consulats et ambassades du Canada, tout comme ceux des centres d'études québécoises et canadiennes, s'avèrent le plus souvent les lieux les plus riches en documentation et en services (voir ci-dessous la sous-section VI.3.E).

BIBLIOTHÈQUE NATIONALE DU QUÉBEC

a) Monographies et volumes:
1700, rue Saint-Denis – Montréal, Québec H2X 3K6
(514) 873-4553

b) Journaux, périodiques et publications gouvernementales:
4499, av. de l'Esplanade – Montréal, Québec H2X 1T2
(514) 873-4404

c) Collections spéciales (manuscrits d'auteurs, cartes et plans, iconographie, musique, livres anciens non québécois antérieurs à 1800, livres québécois antérieurs à 1821):
125, rue Sherbrooke Ouest – Montréal, Québec H2X 1X4
(514) 873-7593

BIBLIOTHÈQUE DE LA VILLE DE MONTRÉAL, SALLE GAGNON

1210, rue Sherbrooke Est – Montréal, Québec H2L 1L9
(514) 872-5923

BIBLIOTHÈQUE DE L'ASSEMBLÉE NATIONALE DU QUÉBEC

Édifice Pamphile-Lemay – Québec, Québec G1A 1A5
(418) 643-4408

BIBLIOTHÈQUE (FONDS ANCIENS)
DU SÉMINAIRE DE QUÉBEC
3, rue de l'Université
C.P. 460 – Québec, Québec G1R 4R7
(418) 692-3981

BIBLIOTHÈQUE NATIONALE DU CANADA
395, rue Wellington
Ottawa, Ontario K1A ON3
(613) 995-9481

JOHN ROBARTS LIBRARY
University of Toronto
130 St. George Street
Toronto, Ontario M5S 1A5
(416) 978-2282

THOMAS FISHER RARE BOOKS LIBRARY
University of Toronto
120 St. George Street
Toronto, Ontario M5S 1A5
(416) 978-6107, poste 5285

TORONTO PUBLIC LIBRARY
40 Orchard View Blvd.
Toronto, Ontario M4R 1B9
(416) 484-8015

VI.3.A.1. *Répertoire des bibliothèques du Québec.* Compilé par Lee Pollock. Montréal, Bibliothèque nationale du Québec, Ministère des Affaires culturelles, 1970, vii-103 p.

Classé selon l'ordre alphabétique des lieux. Index alphabétique des institutions.

VI.3.A.2. *Les bibliothèques publiques du Québec.* Québec, Ministère des Affaires culturelles, 1987, 80 p. – Publication annuelle.

Présente les bibliothèques publiques autonomes; les bibliothèques centrales de prêt et les bibliothèques municipales affiliées. Nombreux tableaux. Liste par régions des bibliothèques publiques autonomes et des bibliothèques centrales de prêt. Index des municipalités desservies par une bibliothèque.

NOTE: Sur les bibliothèques, on se reportera aux sous-sections V.1.A.a et V.1.A.b, ainsi qu'aux entrées suivantes: III.5.A.2. – IV.1.A.5. – V.1.A.c.1. – V.1.B.9. – V.1.B.10. – VI.3.B.2.

B. Dépôts d'archives et de manuscrits

VI.3.B.1. GORDON, Robert S. et E. Grace MAURICE. *Catalogue collectif des manuscrits des archives canadiennes/Union List of Manuscripts in Canadian Repositories.* Ottawa, Archives publiques du Canada, 1975, Édition révisée, 2 vol. avec *Supplément* depuis 1976.

Principaux fonds de manuscrits dans les dépôts d'archives canadiens. Classement par ordre alphabétique, liste numérique des dépôts. Catalogue des fonds par dépôt et par province. Index.

VI.3.B.2. *Guide des sources d'archives sur le Canada français au Canada.* Ottawa, Archives publiques du Canada, 1975, v-195 p.

Dépôts d'archives publiques et semi-publiques: archives fédérales, provinciales, palais de justice, bureaux d'enregistrement, municipalités, hôpitaux, universités, collèges, commissions scolaires, évêchés catholiques, fabriques et paroisses catholiques, congrégations religieuses catholiques, institutions religieuses non catholiques, sociétés historiques, bibliothèques et musées, associations, entreprises et sociétés. Table des dépôts par divisions géographiques. Index des fonds et des noms propres. Les inventaires publiés de ces dépôts y sont mentionnés.

VI.3.B.3. BIRON, Michel. *Guide des fonds d'archives privées.* Montréal, Bibliothèque nationale du Québec, Ministère des Affaires culturelles, 1981, 167 p.

Archives littéraires, documents spéciaux, musique. Par ordre d'acquisitions. Index.

VI.3.B.4. *Guide des sources de l'histoire du Canada conservées en France.* Ottawa, Archives publiques du Canada, 1982, xix-157 p.

Séries des Archives nationales de France, des archives départementales et municipales et d'autres types de dépôts d'archives. Inventaires publiés mentionnés.

VI.3.B.5. GARON, Louis, Darkise GRÉGOIRE et Jean-Pierre THERRIEN. *Guide des archives gouvernementales conservées au Centre d'archives de Québec.* Québec, Archives nationales du Québec, 1986, xv-151 p.

Les archives sont décrites par ministère ou organisme et chaque description comporte un historique des fonctions du ministère ou de l'organisme et un aperçu sommaire des séries archivistiques conservées.

NOTE: Sur les dépôts d'archives, on se reportera aussi aux entrées suivantes: III.5.A.1. – IV.1.A.4. – IV.2.A.5.

C. Centres et équipes

VI.3.C.1. Secrétariat d'État du Canada. *Directory to Canadian, Quebec and Regional Studies in Canada/ Répertoire des études canadiennes, québécoises et régionales au Canada.* Ottawa, Ministère des Approvisionnements et Services, 1986, xxiii-267 p.

Comprend cinq parties: renseignements généraux sur les organismes œuvrant dans le domaine des études canadiennes; programmes, centres et instituts d'études canadiennes par province; revues et périodiques d'études canadiennes – Canada, Québec et régions; sociétés savantes canadiennes œuvrant dans le domaine des études canadiennes; prix et bourses en études canadiennes.

NOTE: Quatre groupes de recherche sur la littérature québécoise se détachent par l'ampleur de leurs ressources et de leurs travaux:

CENTRE DE RECHERCHE
EN LITTÉRATURE QUÉBÉCOISE (CRELIQ)
Denis Saint-Jacques, directeur
Département des littératures
Pavillon Charles-De-Koninck – Université Laval
Québec, Québec G1K 7P4
(418) 656-5373

CORPUS D'ÉDITIONS CRITIQUES
Roméo Arbour, Jean-Louis Major et Laurent Mailhot, directeurs
Faculté des arts – Université d'Ottawa
165, rue Waller – Ottawa, Ontario – K1N 6N5
(613) 564-4218
[Publication d'éditions critiques d'œuvres québécoises dans la collection «Bibliothèque du Nouveau-Monde», aux Presses de l'Université de Montréal.]

ÉDITION CRITIQUE DE L'ŒUVRE
D'HUBERT AQUIN (ÉDAQ)
Jacques Allard, Bernard Beugnot et René Lapierre, directeurs
Département d'études littéraires – Université du Québec à Montréal
C.P. 8888, succursale A – Montréal, Québec – H3C 3P8
(514) 282-3690

GROUPE DE RECHERCHE SUR L'ÉDITION LITTÉRAIRE
AU QUÉBEC (GRELQ)
Richard Giguère et Jacques Michon, directeurs
Département d'études françaises – Université de Sherbrooke
Sherbrooke, Québec J1K 2R1 – (819) 821-7266

De plus, on suivra la création et l'évolution des équipes de recherche subventionnées en consultant les rapports annuels du FCAR (Fonds pour la formation des chercheurs et l'aide à la recherche) et du CRSH (Conseil de recherches en sciences humaines).

D. Associations et congrès

Pour une liste partielle des associations œuvrant dans le domaine littéraire, voir le *Répertoire des études canadiennes, québécoises et régionales au Canada*, p. 231-245, décrit ci-dessus au n° VI.3.C.1.

NOTES: Les congrès les plus réguliers pour les études en littérature québécoise sont ceux de la section «littérature d'expression française» de l'Association canadienne-française pour l'avancement des sciences (ACFAS), de l'Association des littératures canadienne et québécoise (ALCQ), et de l'Association des études canadiennes (AÉC).

Sur les associations, on se reportera aussi aux entrées suivantes: IV.1.A.5. – IV.2.A.5.

E. Études québécoises à l'étranger

VI.3.E.1. *Les études québécoises dans les établissements français d'enseignement supérieur.* Présenté par Philippe Bergeron. Sans lieu, Centre de coopération universitaire franco-québécoise (Collection «Dossiers»), sans date, v-108 p.

Comprend deux parties: les thèses de doctorat; les enseignements. Six index: auteurs, directeurs de thèses, universités, disciplines, responsables d'enseignement et institutions.

VI.3.E.2. *Monographies et revues publiées à l'étranger dans le cadre des études canadiennes.* Ottawa, Ministère des Affaires extérieures, 4 juin 1985, iv-134 p.

Les renseignements sont présentés dans l'ordre alphabétique des quatorze pays retenus. On mentionne d'abord les monographies, puis les revues, un astérisque signalant celles qui contiennent des articles de fond. Ce répertoire ne vise pas à l'exhaustivité, les auteurs ne citant que les monographies et les revues dont on leur a communiqué le titre.

VI.3.E.3. Secrétariat d'État du Canada. *International Directory to Canadian Studies/Répertoire international des études canadiennes.* Ottawa, Ministre des Approvisionnements et Services, 1986, 101 p.

Comprend six parties: conseil international des études canadiennes; centres et programmes d'études canadiennes à l'étranger; programmes, centres et instituts d'études canadiennes au Canada; autres organismes canadiens intéressés aux études canadiennes; prix internationaux en études canadiennes; revues et actes de colloques publiés par les associations d'études canadiennes. Ce répertoire ne mentionne pas:

CENTRE D'ÉTUDES QUÉBÉCOISES
DE L'UNIVERSITÉ DE LIÈGE
3, place Cockerill – 4ᵉ étage
4000   Liège – Belgique
Tél.: 01/42 00 80, postes 644 et 645.

[Animé par une équipe d'enseignants et de chercheurs en linguistique et en lettres modernes, ce centre de documentation dispose d'un secrétariat et d'une bibliothèque.]

CENTRE SAINT-LAURENT D'AIX-EN-PROVENCE
Institut d'études politiques
Université d'Aix-Marseille
25, rue Gaston-de-Saporta
13625   Aix-en-Provence Cedex 01
Tél.: 42.21.06.72.

[Fondé en 1987 et dirigé par Yannick Resch.]

VII
LE CONTEXTE

1. HISTOIRE ET SOCIÉTÉ

A. Instruments de travail

VII.1.A.1. LAMONDE, Yvan. *Guide d'histoire du Québec.* Montréal, Boréal Express, 1976, 94 p.

À partir d'un lieu particulier, l'ouvrage explore les types de sources possibles pour mener une recherche historique: sources primaires (manuscrites, sonores, chiffrées, imprimées, iconographiques) et sources secondaires (études).

VII.1.A.2. AUBIN, Paul. *Bibliographie de l'histoire du Québec et du Canada.* Québec, Institut québécois de recherche sur la culture.

1966-1975. 1981, 2 tomes.

Tome I. xxiii-712 p.
Tome II. P. 713-1430.

1976-1980. 1985, 2 tomes.

Tome I. xxi-610 p.
Tome II. P. 611-1316.

1946-1965. 1987, 2 tomes.

Tome I. lxxvii-648 p.
Tome II. P. 649-1396.

La bibliographie la plus complète de la recherche historique au Québec et au Canada de 1946 à 1980. L'IQRC entend publier d'autres tranches par période de cinq ans (1980-1985, 1985-1990...). Cette bibliographie est une refonte avec addenda de la bibliographie qui paraît depuis juin 1967 dans chaque numéro de la *Revue d'histoire de l'Amérique française* et qui continue de paraître de façon courante. Cette bibliographie, appelée aussi HISCABEQ – base de données bibliographiques ordinolingues sur l'histoire du Québec et du Canada –, est aussi disponible sous forme de banque informatisée.

VII.1.A.3. *Guide du chercheur en histoire canadienne.* Québec. Presses de l'Université Laval, 1986, xxxii-808 p.

Les instruments de travail: ouvrages de référence, bibliographies, grandes synthèses. Les sources: archives, sources imprimées. Histoire du Canada: textes, sources statistiques, études et monographies, bilans historiographiques. Deux index: thématique, onomastique.

VII.1.A.4. *L'encyclopédie du Canada.* Montréal, Stanké, 1987, 3 tomes [pagination continue]. Illustré.

Tome I. *A-E.* xxxiii-718 p.

Tome II. *F-PE.* P. 719-1452.

Tome III. *PE-Z.* P. 1453-2153.

Comprend 8000 articles, dont 3500 biographies. Importante bibliographic. Un seul index des sujets, noms propres et titres. [A d'abord paru en anglais: *Canadian Encyclopedia,* Edmonton, Hurtig, 1985.]

B. Ouvrages de synthèse et de référence

a) Études d'ensemble

VII.1.B.a.1. *Histoire du Québec.* Sous la direction de Jean Hamelin. Saint-Hyacinthe, Edisem, et Toulouse, Édouard Privat. 1976, 538 p. Illustré.

Orientations bibliographiques à la fin de chaque chapitre. Index des noms propres.

VII.1.B.a.2. LINTEAU, Paul-André, René DUROCHER et Jean-Claude ROBERT. *Histoire du Québec contemporain.* Montréal, Boréal Express, 2 tomes. Illustré.

Tome I. *De la confédération à la crise (1867-1929).* 1979, 658 p. [Disponible en anglais.]

Tome II. [François RICARD se joint à l'équipe.] *Le Québec depuis 1930.* 1986, 739 p.

Orientations bibliographiques à la fin de chaque chapitre. Bibliographie générale. Index thématique. Chapitres de synthèse sur la littérature et les arts.

b) Études particulières

VII.1.B.b.1. AUDET, Louis-Philippe. *Histoire de l'enseignement au Québec.* Montréal et Toronto, Holt, Rinehart et Winston, 1971, 2 tomes. Illustré.

Tome I. *1608-1840.* xv-432 p.

Se divise ainsi: colon français; formation des structures scolaires françaises; sources de la pédagogie française des XVIIe et XVIIIe siècles.

Tome II. *1840-1971.* xii-496 p.

Se divise en trois parties: lois et structures fondamentales du système scolaire québécois (1840-1875); une province, deux systèmes scolaires (1876-1959); réforme scolaire (1959-1971).

Chaque tome comprend maints documents et tableaux, ainsi que deux index: des noms de personnes et de lieux, des sujets traités.

VII.1.B.b.2. *Idéologies au Canada français.* Sous la direction de Fernand Dumont, Jean-Paul Montminy et Jean Hamelin. Québec, Presses de l'Université Laval, (Collection «Histoire et sociologie de la culture»), 4 vol.

Volume I. *1850-1900.* 1971, ix-327 p.

Volume II. *1900-1929.* [Pour ce volume, Fernand Harvey se joint aux directeurs.] 1974, 377 p.

Volume III. *1930-1939.* 1978, 361 p.

Volume IV. *1940-1976.* 1981, 3 tomes.
Tome 1. *La Presse – La littérature.* viii-360 p.
Tome 2. *Les Mouvements sociaux – Les Syndicats.* 390 p.

Tome 3. *Les Partis politiques – L'Église.* 360 p.

Orientations bibliographiques à la fin du premier volume. Index à la fin de chacun des volumes.

VII.1.B.b.3. GALARNEAU, Claude. *Les collèges classiques au Canada français [1620-1970].* Montréal, Fides, 1978, 287 p.

Comporte trois parties: collèges au Canada français; enseignants et enseignés; pratiques pédagogiques et idéologie. Cartes, tableaux. Bibliographie des sources et des instruments. Un index des noms et titres.

VII.1.B.b.4. *Histoire du catholicisme québécois.* Sous la direction de Nive Voisine. Montréal, Boréal Express. [Un seul volume est paru.]

Volume III. *Le XXe siècle.* 1984, 2 tomes. Illustré.

Tome 1. HAMELIN, Jean et Nicole GAGNON. *1898-1940.* 507 p.

Tome 2. HAMELIN, Jean. *De 1940 à nos jours.* 425 p.

Orientations bibliographiques et deux index, onomastique et thématique, à la fin de chaque tome.

NOTE: Sur le système d'éducation anglophone, voir aussi: IV.1.A.5.

c) Recueils de textes

VII.1.C.1. BOUTHILLIER, Guy et Jean MEYNAUD. *Le choc des langues au Québec 1760-1970.* Montréal, Presses de l'Université du Québec, 1972, xiv-768 p. – 1re édition: 1971.

Comprend une assez longue introduction, une chronologie sommaire, 119 documents portant sur la question linguistique. Liste des auteurs de documents. Index des noms cités.

VII.1.C.2. LATOUCHE, Daniel et Diane POLIQUIN-BOURASSA. *Le manuel de la parole. Manifestes* *québécois*. Montréal, Boréal Express, 3 tomes.

Tome I. *1760-1899*. 1977, 216 p.

Tome II. *1900-1959*. 1978, 356 p.

Tome III. *1960-1976*. 1979, 289 p.

Présente 136 manifestes politiques et idéologiques. Index onomastique à la fin du troisième tome.

VII.1.C.3. BOISMENU, Gérard, Laurent MAILHOT et Jacques ROUILLARD. *Le Québec en textes. Anthologie 1940-1986*. Montréal, Boréal Express, 1986, 622 p. - 1re édition: 1980.

Comprend divers documents, une chronologie des événements. Importante bibliographie.

2. CHAMPS CULTURELS

A. Ouvrage d'ensemble

VII.2.A.1. *Guide culturel du Québec*. Sous la direction de Lise Gauvin et Laurent Mailhot. Montréal, Boréal Express, 1982, 535 p. Illustré.

Comprend neuf chapitres: langue, littératures, arts et pratiques, sciences humaines, lieux d'enseignement, cultures au pluriel, institutions et références, sources de renseignements, repères chronologiques. Index onomastique.

B. Culture traditionnelle

VII.2.B.1. La collection «Archives de folklore», éditée par les Presses de l'Université Laval à Québec, publie des travaux d'ethnologie sur la culture traditionnelle. À ce jour, elle compte vingt-quatre titres. Pour les littéraires, nous recommandons en particulier les volumes suivants:

Volumes V et VI. MARIE-URSULE, Sœur. *Civilisation traditionnelle des Lavalois.* Préface de Luc Lacourcière, avec une carte hors-texte, 70 photographies, 6 dessins et 78 mélodies. Québec, Presses universitaires Laval, 1951, 403 p.

Volume XIII. MAILLET, Antonine. *Rabelais et les traditions populaires en Acadie.* 2ᵉ tirage, édition spéciale, 1980, x-201 p. – 1ʳᵉ édition: 1971.

Volume XVII. LAFORTE, Conrad. *Poétiques de la chanson traditionnelle française ou Classification de la chanson folklorique française.* 1976, ix-162 p.

Volume XVIII. LAFORTE, Conrad. *Le catalogue de la chanson folklorique française I: chansons en laisse.* Nouvelle édition augmentée et entièrement refondue, 1977, cxi-561 p.

Volume XIX. LAFORTE, Conrad. *Le catalogue de la chanson folklorique française IV: chansons énumératives.* Nouvelle édition augmentée et entièrement refondue, 1979, xvi-295 p. – Comprend également: «Annexe au catalogue de la chanson folklorique française I: chansons en laisse. Tableaux des laisses». 33 p.

Volume XX. LAFORTE, Conrad. *Le catalogue de la chanson folklorique française II: chansons strophiques.* Nouvelle édition augmentée et entièrement refondue, 1981, xvi-841 p.

Volume XXI. LAFORTE, Conrad. *Le catalogue de la chanson folklorique française III: chansons en forme de dialogue.* Nouvelle édition augmentée et entièrement refondue, 1982, xviii-144 p.

Volume XXII. LAFORTE, Conrad. *Le catalogue de la chanson folklorique française V: chansons brèves (les enfantines).* Nouvelle édition augmentée et entièrement refondue, 1987, xxxii-1017 p.

Volume XXIII. LAFORTE, Conrad. *Le catalogue de la chanson folklorique française VI: chansons sur des timbres.* Nouvelle édition augmentée et entièrement refondue, 1983, xxi-649 p.

VII.2.B.2. DU BERGER, Jean. *Introduction aux études en arts et traditions populaires. Éléments de bibliographie et* *choix de textes historiques.* Québec, Université Laval, Archives de folklore (Collection «Dossiers de documentation des Archives de folklore de l'Université Laval»), 1973, iii-267 p.

Les éléments de bibliographie se divisent ainsi: folklore en général; littérature orale; coutumes et croyances; jeux traditionnels; médecine populaire; technologie, métiers et arts populaires. Un recueil de textes ayant trait au folklore compose la seconde partie de l'ouvrage, qui se subdivise ainsi: textes généraux; textes canadiens.

VII.2.B.3. LAFORTE, Conrad. *La chanson folklorique et les écrivains du XIXe siècle (en France et au Québec).* Montréal, Hurtubise HMH (Collection «Ethnologie québécoise»), 1973, 154 p. Illustré.

Étudie les rapports entre la chanson traditionnelle et la littérature romanesque en France, mais surtout au Canada. Bibliographie raisonnée comprenant onze rubriques. Deux index: noms cités et chansons.

VII.2.B.4. DUPONT, Jean-Claude et Jacques MATHIEU. *Héritage de la francophonie canadienne. Traditions orales.* Sainte-Foy, Presses de l'Université Laval, 1986, vii-269 p.

Traite des sujets suivants: coutumes et croyances; légendes; chansons; contes. Chaque partie se termine par une bibliographie (p. 12, 68-70, 130-133, 180-181, 264-266).

NOTE: Sur la culture traditionnelle, on se reportera aussi aux entrées suivantes: II.1.A.5. – II.3.8. – III.3.B.1. – IV.1.A.1. – IV.1.A.4. – IV.2.A.2. – V.2.B.5.

C. Musique et chanson

VII.2.C.1. CORMIER, Normand *et al. La chanson au Québec 1965-1975.* Préface de Guy Maufette. Montréal, Bibliothèque nationale du Québec (Collection «Bibliographies québécoises»), 1975, xiii-219 p.

Cette bibliographie, qui n'est pas exhaustive, rend compte de volumes et d'articles de périodiques. Dans chacune des deux parties, les notices sont classées dans l'ordre des auteurs et des titres d'ouvrages anonymes. Dans l'introduction, on mentionne les divers lieux où les chercheurs qui veulent approfondir le sujet doivent aller. Deux index: titres et sujets.

VII.2.C.2. KALLMANN, Helmut, Gilles POTVIN et Kenneth WINTERS. *Encyclopédie de la musique au Canada.* Montréal, Fides, 1983, xxxi-1142 p. Illustré.

Comprend notamment une bibliographie générale et deux index: illustrations et noms cités. [D'abord publié en 1981 par University of Toronto Press sous le titre: *Encyclopedia of Music in Canada.*]

VII.2.C.3. *Les aires de la chanson québécoise.* Sous la direction de Robert Giroux. Montréal, Triptyque, 1984, 213 p.

Fait «la part entre le discours *de* la chanson elle-même, le discours *sur* la chanson, et le degré de communication entre la vedette, sa performance et son public». Liste des ouvrages consultés.

NOTE: Sur la chanson, on se reportera aussi aux entrées suivantes: IV.1.A.1. – IV.4.B.2. – VII.2.B.1. – VII.2.B.2. – VII.2.B.3. – VII.2.B.4.

D. Cinéma

VII.2.D.1. HOULE, Michel et Alain JULIEN. *Dictionnaire du cinéma québécois*. Montréal, Fides, 1978, xxx-366 p.

En plus du dictionnaire alphabétique (du cinéma de langue française produit au Québec), cet ouvrage contient en annexe une généalogie des cinéastes québécois, une chronologie des longs métrages, une filmographie et une bibliographie commentées.

VII.2.D.2. BONNEVILLE, Léo. *Le cinéma québécois par ceux qui le font*. Montréal, Paulines, et Paris, Apostolat des éditions (Collection «Communication et mass média»), 1979, 784 p. Illustré.

Constitue un dictionnaire des réalisateurs. Pour chacun d'eux, on donne: une biographie, un entretien, un aperçu critique, une filmographie, une bibliographie. Bibliographie générale.

VII.2.D.3. TREMBLAY-DAVIAULT, Christiane. *Un cinéma orphelin. Structures mentales et sociales du cinéma québécois (1942-1953)*. Montréal, Québec/Amérique, 1981, 355 p. Illustré.

S'intéresse d'abord aux aspects techniques et historiques, puis analyse le contenu de douze films. En annexe, cinq aperçus. Bibliographie.

VII.2.D.4. FOURNIER-RENAUD, Madeleine et Pierre VÉRONNEAU. *Écrits sur le cinéma (bibliographie québécoise 1911-1981)*. Montréal, Cinémathèque québécoise, Musée du cinéma (Collection «Les dossiers de la cinémathèque»), 1982, 180 p. Illustré.

Contient un répertoire, où les notices sont classées selon l'ordre alphabétique des titres. Quelques mots caractérisent la production retenue. Renferme également trois index: général, des auteurs, des années de publication. Précède la revue de cinéma *Copie zéro*, décrite à la fin de cette sous-section.

VII.2.D.5. «Aujourd'hui le cinéma québécois». *CinémAction*. Dossier réuni par Louise Carrière. Paris, Cerf, Office franco-québécois pour la jeunesse, 1986, 191 p.

Se divise en trois chapitres: vu du Québec; le cinéma québécois en tous ses états; vu de France. Contient une chronologie 1975-1986. En annexe, deux filmographies (longs métrages, courts et moyens métrages), un dictionnaire de 54 cinéastes. Bibliographie des écrits sur le cinéma québécois 1975-1986 (livres, thèses). Liste des revues courantes de cinéma.

VII.2.D.6. LEVER, Yves. *Histoire générale du cinéma au Québec*. Montréal, Boréal, 1988, 555 p. Illustré.

Se divise en quatre parties: l'époque du muet québécois (1896-1938); les rêves tranquilles des Canadiens français (1939-1955); la révolution par l'album (1956-1968); vers la maturité (1969-1987). Huit annexes. Bibliographie. Deux index: noms cités et sujets, films cités.

NOTES: Les cinéphiles liront avec profit *Copie zéro*, fondé en mars 1979. Il s'agit d'une revue trimestrielle et thématique d'information et de référence sur le cinéma québécois, publiée par la Cinémathèque québécoise, qui prolonge la bibliographie décrite ci-dessus au n° VII.2.D.4. Chaque année, un des numéros contient le répertoire des films classés par ordre alphabétique de titres, la bibliographie québécoise (journaux, périodiques, monographies et, depuis 1985, critiques de film) et quelques index (général, des sujets).

Sur le cinéma, on se reportera aussi aux entrées suivantes: II.1.B.5. – IV.4.B.2.

E. Arts visuels

VII.2.E.1. HARPER, J. Russel. *La peinture au Canada des origines à nos jours.* Toronto, University of Toronto Press, et Québec, Presses de l'Université Laval, 1966, ix-442 p. Illustré.

Comprend notamment des notices biographiques. Liste des ouvrages consultés. Index thématique.

VII.2.E.2. OSTIGUY, Jean-René. *Un siècle de peinture canadienne 1870-1970.* Québec, Presses de l'Université Laval, 1971, 206 p. Illustré.

Bibliographie. Index des principaux peintres cités.

VII.2.E.3. DAIGNEAULT, Gilles et Ginette DESLAURIERS. *La gravure au Québec (1940-1980).* Saint-Lambert, Héritage, 1981, 268 p. Illustré.

Glossaire. Bibliographie: sur la technique, sur l'histoire de l'estampe, sur l'estampe québécoise. Index des œuvres reproduites.

VII.2.E.4. PORTER, John R. et Jean BÉLISLE. *La sculpture ancienne au Québec. Trois siècles d'art religieux et profane.* Montréal, L'Homme, 1986, 513 p. Illustré.

Bibliographie: sources manuscrites ou imprimées, ouvrages de référence, catalogues d'expositions, livres, articles. Lexique. Trois index: noms de lieux, personnes, sujets représentés.

APPENDICE

Vu l'organisation du *Guide*, les titres concernant certains thèmes importants des études actuelles en littérature québécoise, quoique signalés, n'ont pu être rassemblés dans une rubrique particulière. Ils le sont donc ici.

FEMMES

Voir: II.1.B.1. – II.1.B.2. – II.3.10. – II.3.11. – II.3.13. – III.2.B.12. – III.2.B.21. – III.5.B.9. – III.7.B.1.– III.11.B.3. – III.11.B.4. – IV.2.B.7. – IV.3.A.2 – IV.1.B.3.

INSTITUTION LITTÉRAIRE

Voir: II.3.10. – II.3.13. – II.3.14. – II.3.15. – II.3.16. – III.2.B.9. – III.2.B.10. – IV.4.B.5. – IV.4.B.6. – IV.4.B.7. – IV.4.B.8. – V.1.B.2. – V.1.B.5. – V.1.B.6. – V.1.B.7. – V.1.B.8. – VI.1.A.2. – VII.2.A.1.

ÉCRITS DE LA NOUVELLE-FRANCE

Voir: I.1.1 (tome I). – I.2.3 (tomes I à III). – I.2.4. – II.1.B.2. – II.2.1 à II.2.7. – II.3.8. – II.3.13. – III.1.B.6. – III.1.C.7. – III.4.A.1. – III.4.B.1. – III.4.B.2.– III.4.B.4. – III.5.B.5. – III.5.B.10. – IV.1.B.3. – IV.4.B.1. – IV.4.A.2. – V.1.A.b.3. – V.1.A.b.4. – V.1.A.b.5. – V.2.B.7. – VI.1.A.2.

INDEX
des auteurs ou directeurs
des ouvrages cités

TABLE DES MATIÈRES

Maquette intérieure, typographie et mise en pages: MacGRAPH, Montréal.
Achevé d'imprimer en août 1988 par les travailleurs
des Éditions Marquis, à Montmagny, Québec.